U0132351

JPC
HK

盧瑋鑾文編年選輯

一夜風雨

一九八一——一九九七

盧瑋鑾　著
許迪鏘　編

目錄

一九八一

❖

一九八九

一九八一年

小酒杯

◇獲香港大學中文系哲學碩士銜

這是一隻小酒杯。

一隻日本式小酒杯，像隻縮得很小很小的飯碗。

土黃色釉，交錯著細緻而複雜的冰裂紋，沒有半點火氣，溫和如一個沉思的老人。

當中一條大裂痕，記錄了這隻小杯曾破成兩半的歷史。

不知道誰用強力膠水把它重合起來，膠水用多了，乾後仍帶濕的感覺，像一注淚，躺在杯中央。

杯外壁繪了一雙穿農民衣服的日本男女，歡愉的表情和舞蹈的姿態，看來正為豐收而歌舞。

無論筆法和筆意，完全是竹久夢二的風格。

這小酒杯沒有顯赫的故事，沒有數字驚人的身價，但它卻深知一個老人二十七年來的情懷。

也許，在冉冉消沉的夕照中，在紅了櫻桃，綠了芭蕉的窗下；也許，在風雨如晦的日子裡，它伴著老人，默默看幾頁書，抄一首詩，畫數筆畫。或者，它更清楚在沒有紙沒有筆的歲月，在焚畫如焚心的可怕時光，老人如何把愁苦壓成碎片，然後和酒吞下。它感到前所未有的苦澀。它感到老人無力的唇的冰冷。

這隻小酒杯沒經名窰的火，瓷土和釉，也說不上甚麼名堂。只能說是機緣，二十七年前，它躺在小攤上，就無端的中了過路的畫家的意，從此，它就由台灣到了海峽的另一邊。

它沒有甚麼履歷，有的只是畫家妻子寫下的幾個字：

「小酒杯一隻，係子愷於一九四八年從台灣購得，生前常以此飲酒。」

它如今，溫和如一個沉思的老人，躺在我的書櫥裡。

——刊一九八一年一月十八日《星島日報》副刊「七好文集」專欄。

一九八一年

東方、英京

不久，灣仔舊日面貌，就完全褪出視線之外了！

站在菲林明道、譚臣道、莊士敦道之間，我抬頭看著東方戲院、英京酒家。——突然想起，自己站著的地方，從前該是東坡糖果公司。

那些日子：到東坡或者兩益去買一兩顆用紅白藍帶蠟質的紙包住的牛奶糖、到中發買一角錢煙仔餅、到同福雜貨店買五分錢茶瓜、到東方小祇園買一兩個棋子餅、到東方書店去看書、到新亞怪魚酒家門外看魚，是母親容許下，最「自由」最「奢華」的活動。當然，那都比不上到東方戲院去看一場電影、到英京酒家去吃叉燒包蝦餃，那麼具「規模」。

東方戲院，我們其實並不常去。父親愛看粵語片，倒是國民、香港大戲院的常客。東方上映的是外國電影，只有姊姊甚麼時候喜歡，才帶我去看一兩次。外國電影，嘰咕咕的外國語，也不好看，我只愛看泰山。

東方戲院給我最深印象是在進超等座位之前的那層小閣樓。

我們坐的是前座或後座。在等進場前，站在戲院大堂裡，看見有些人在閣樓欄杆邊，就好生奇怪，他們站在上邊幹甚麼？

等到一次，大人帶我上去，才解了悶在心頭好久的一個結。上面好像還有些椅子和一間賣小食的店，很矇矓，記不清楚了。

英京酒家倒是常去的，我想老街坊沒幾個不去過英京，雖然灣仔還有悅興和六國，但似乎還以英京受歡迎。對於小孩子，哪一家茶樓的叉燒包的味道，都沒有多大分別。只是，英京另有吸引力，它的四樓，是個彩色、夢境實現的世界。

*

孩子的知識裡，沒有「金碧輝煌」這種詞彙。那時的童年生活全是平板、黑白的——沒有彩色玩具、彩色圖書，偶然看看電影，也是黑白的。英京四樓像個中國宮殿，朱紅的棟樑，雕花貼金描紅繪綠的藻井，進門處懸一個「金鑾殿」的牌匾，下面放了一座用楠木雕成的大椅子——大人說皇帝就坐這種椅子，這一切，就很不平凡。

大人「飲茶」是邊吃邊聊，小孩子倒沒耐性乖乖坐定下來，尤其吃得差不多了，就要找些「娛樂」。英京四樓，可以給他們玩扮皇帝，正是最佳玩意。母親不會讓我離開座位去玩的，但我遠遠望住別人玩，玩得那麼熱鬧，就已經滿足了。

矮個子吃力爬上大椅子，端端正正坐著，接受猜輸了要扮臣子的同伴跪拜，是很典型的童玩。

不知到了甚麼時候，英京四樓的雕樑藻井在孩子心中不再新鮮，大椅子不再那麼大，不必爬就輕易坐上去，童年也就過去了。

最近到英京四樓喝茶，沒留心看那大椅子還在不在。就是椅子還在，相信現代化的童玩，早沒有了「皇帝臣子」那麼封建的項目。

東方、英京，快要拆掉了，灣仔還有哪些建築物是熟悉的？老街坊站在街頭呆想！灣仔大街市、國泰戲院、灣仔郵政局、廸龍里上的濟公廟、洪聖廟、中華循道公會香港堂、修頓球場，……

不久，除了許多熟悉的街道名字外，灣仔舊貌，就完全褪出視線之外，只在偶然懷舊的話題裡，掀起一些人的記憶：快樂的、悲哀的，都變得朦朧。淡淡的，一頁歷史翻過去了。

——分上、下兩篇刊一九八一年四月二及三日《星島日報》副刊「七好文集」專欄。

一九八一年

餐廳裡

（一）

小餐廳的情調頂不錯，燈光、音樂都很適人意。

一對男女挽著手進來，十八九歲的模樣，看樣子，毫無疑問是對戀人。我想，他們選對地方，這是個談心的好環境。

小桌上，中央的瘦瓶子插一朵紅玫瑰，襯著兩杯冷得晶瑩的檸檬茶。兩個年輕人臉上泛著柔和帶笑意的光彩，一切顯得那麼優美。我想，對他們來說，這該是個美好時刻。

還沒喝一口茶，女孩子從手袋裡掏出一具小電子計算機來，低下頭，就在玩。

男孩子邊喝茶邊看她玩，過了一會，女孩子把計算機交給男孩子，他高興得很，拿到手裡，也就興奮地玩起來了。他的成績一定不錯，因為他不斷的說：「好。」

大概一個鐘頭過去了，他倆輪流玩著那計算機，話沒幾句，但似乎都很滿意自己的成績，笑得很開心。看著他們結賬，手挽手走出小餐廳，我想……我想我不該想甚麼了，那是一則我不懂得的戀愛故事。

（二）

餐廳裡很熱鬧，顧客多是青年人。鄰近的一桌，坐了六個十八九歲的男女，溫文地邊吃邊談。

一個男子偶然移動身體，褲袋裡的錢包跌在地上了。

我站起來，走過去，輕輕對他說：「你的錢包跌在地上了！」男孩沒抬頭望我一眼，也不作一聲，只從地上拾回錢包，就繼續跟朋友談話，而同桌的五個人，也像沒給我這陌生人「打擾」過的樣子。

我走回自己的座位，有種怪異感覺，究竟自己剛才有沒有「實質」站在六個人面前？有沒有叫人拾起錢包？他們「沒反應」的反應，真叫我驚訝！

——刊一九八一年八月十五日《星島日報》副刊「七好文集」專欄。

一九八一年

青文

青文，是一間新開書店的名字，也是一群年輕人的理想標誌。

理想？在某些人心目中，難免要生疑。七湊八搭才找來一筆錢，許多生意不幹，偏偏選中這人人說不可為的一行，要說是理想標誌，倒不如說傻瓜一群。對於這樣想的人，根本就不必費神去為他們釋疑，傻瓜就傻瓜吧！反正，誰是聰明人，誰是傻瓜，還得等將來再結算。

好！就說那群傻瓜吧！書店開幕那天，只見他們喜氣洋洋，上下打點，忙得團團轉。看起來，不像開店，簡直像為兒子擺滿月酒。我這樣說，不是取笑他們，而是他們跟書店，給人真有骨肉之親的感覺。兒子剛彌月，距離成人長大的日子還遠，做父母的要用的心血、時間、感情一定不能少，要面臨的困難、擔憂也必然多。不是傻瓜，不是有骨肉般親情，要走完這條路，實在不容易。從他們辦「青年文學獎」，到出版文集，出版「青年文學」，已經標誌著他們決心揀一條不容易走的路。現在，在租金昂貴、看書買書的人少得叫人傷心的時候，居然開起書店來，就更不簡單了。

說起同人辦書店，自然想到從前的「開明書店」，夏丏尊、葉紹鈞、劉薰宇、豐子愷這一群人，在國家多難，文壇又風雨交加的時候，熱心為中學生的精神糧食想辦法，出版各種適合中學生看的讀物，出版「一般」、「中學生」雜誌。

他們自己也動筆寫文藝理論，為中學生解答許多疑問。

當年的中學生，恐怕沒幾個不受過「開明」的哺育。

我常盼望香港也有這樣的一群人，這樣的一間書店。

但願青文同人想一想，路，是不是也可以這樣走？

——刊一九八一年九月二十四日《星島日報》副刊「七好文集」專欄。

❖ 證

青文書屋的源起，是兩所大學學生會在七十年代合作舉辦的「青年文學獎」，……可是青年文學獎畢竟只是學生組織，搞手一旦畢業，便難以附麗，故當時有人發起新的組織，在校外繼續推動對文學、文化、社會的關懷。當時的搞手如張楚勇、陳慶源，氣魄不小，號召力也很大，首先辦的企業，便是位於灣仔莊士敦道、巴路士街交界的閣樓書店青文書屋。當時群策群力，英文名字 Evergreen，是伍淑賢的建議；而幼苗的標誌，如沒記錯，則出於黃家能的手筆。初出茅廬的畢業生自忖不諳經營，於是把在旺角經營南山書屋的何月東挖了過來，成了青文的「何老闆」，一個文化之夢就付諸實踐了。

——葉建源〈青文書屋〉，見二〇一七年四月五日《成報》，網上讀取：http://www.ipkinyuen.org.hk/wordpress/?p=57862&lang=zh

一九八一年

逛閑街

像小時候跟父親逛閑街一樣，我竟逛了半天閑街。

閑街，想是父親創出來的一個詞。閒來無事，沒有目的，今天朝東，明日往西，儘管向前路蹓躂，走得累了，在小店裡喝瓶汽水，歇歇腳，又再起程。碰上地攤小雜貨店，他就蹲下來，研究研究一些希奇古怪的破東西，偶爾遇到合意的，會把它買下來。一個星期裡，總有一兩天這樣逛，我沒頭沒腦跟在後面，不知不覺也養成逛閑街的習慣——腳力夠，心情閑，往往無意間看到許多平日不留意的人和事物。父親去世後，我獨個兒還是愛這樣逛，許多朋友不明白我怎可以在街頭巷尾呆上老半天。

甚麼時候開始不再逛閑街，現在想不起來了。直到那天，忽然把心一狠，放下工作，走在西環的小街上，才有驀然回首，閑情拋卻久的感覺。

於是，……我停下來，看：一個穿唐裝短衫的男人正在用簸箕篩米。一間故衣店掛滿舊衣服，標價九十五元一套深褐色闊襟西裝。一個小攤，架了帳篷，裡面坐著老工匠，細心在刻戥子的木棒。巷口擺著櫃枱——沒桌沒椅，不能叫作大牌檔，賣的是紅豆沙、綠豆沙，路人光顧只好站著吃。喂！一碗「鴛鴦」。吃「鴛鴦」的人真多。小街轉角處，居然擺著四擔柴，還沒有破開的柴，甚麼人家每頓飯依舊繞著炊煙？神器店裡大大小小的紅漆神龕，門官土地、某門堂上歷代祖先，正等待某家宅請回去供養……

總說社會變化大，新浪潮一層又一層，這些古舊風貌竟仍悄悄地存在，又是怎麼一回事？逛閑街，不該想大問題，繼續向前走吧！

於是，……我看見……

——刊一九八一年九月二十九日《星島日報》副刊「七好文集」專欄。

參

❖ 小思：「由我懂事開始，父母已帶我通街逛。那年頭社會貧困，沒機會坐飛機，逛街就成了我的旅遊節目，也是父母對我的家庭教育。後來我也會獨自周街行，從不會迷路。」

——張麗瑜：〈小思：街角風流〉，見二〇〇〇年二月十一日《香港經濟日報》C1。

❖ 小思：現在的父母都很忙，不可能常陪小朋友行街。我爸爸五點下班回家，沒有多餘工作，才能帶我到處走。當年不能花太多錢娛樂，行街便是最好的消閑方式。我是家裡最小的女兒，他寵我。和平後因媽媽長期患病臥床，沒陪他外出消遣，所以他總帶我作伴。

——《曲水回眸——小思訪談錄．上》，香港：啟思出版社，二〇一八年第二版，頁一二九。

一九八一年

京都短歌

引子

——您用剛學會的日語，柔和地說：「請您和我一起到京都去，好嗎？」

我用幾乎全忘掉的日語，生硬地說：「不！」

且為您，寫下短歌八闋，從此我不再提起京都。

天滿宮梅開

——不必卜問花期，據說年年總在二月廿五日。

沒有雪，我趁一輛公車，問了兩個路人，驚訝的是天滿宮如斯荒涼。

幾樹寒梅，一帶憔悴顏色。沒有流水，就只怕，那幾株梅花，有夢也難到天涯。

清水寺櫻放

——且上高台，不飲三線清泉，過客不求福不求祿不求壽。人說道，青山不老，每到春來，必泛起陣陣醉後微紅。

我在寺中，寺在山中，山在櫻霧中。但不覺暗香浮動，不沾一瓣落櫻，只因——遙遠。

平安神宮薪能

——日落，於飛簷之下，竊去初夏黃昏應有的餘溫。殿角滲出微涼，高架鐵盆裡的薪火顯得囂張。

沒有幔幕，遂無劇始劇終。只有：嗚咽不成音調的歌聲散落，寬袍長袂凝重游移。面具後面該是一張怎樣的臉？蘭陵王當不在東洋史裡。

祇園囃子

坊眾的團扇搖曳出盛夏的姿態，男女的木屐敲響祇園祭的序曲。笛子、雲鑼、小鈸奏成單調的主題——祇園囃子。樂工坐在巨大的長刀鉾、山鉾上，單調的節拍卻含許多感恩典故。

花街盡處，有兩個老者，坐一張板凳，靜看通衢燈火。色冷，守口如瓶。

滿街之銀杏

天地忘情！忽然，滿街失戀神色。葉葉萎黃，如秋扇。一葉一聲，總關美麗的愛情故事。

那兒，有人焚葉，煙似惆悵的魂裊裊，到死也不離不棄。明年西風一起，又見傷情消息。

高山寺之楓

美酒傾樽，一山的楓都醉去。客來，站在崖上，各執一塊白瓦，擲向山下，然後許個再來的願。我拾幾片紅葉，藏在袖裡，也不題詩。

無願無諾，我即歸去。

鞍馬寺火祭

我翻起衣領，寒風中，不上九十九級青石台階。

今夜，人們不參拜洛北的守護神，只擎著如柱的火炬，瘋狂的吆喝奔跑。熊熊火光，閃著原始而蠱惑顏色。

我站在人群之外，看住幾點火星，自火炬甩出，濺在如墨的夜空中。

比叡山初雪

人們都說：趕快去看，比叡雖然孤高，但也相思，一夜裡，竟想白了頭。我且去，訪一訪這獨聳的山靈。

原來天地之間，就有一種易逝的東西叫做「雪」，比叡於是迷糊了，也使我這朝山者失路。

山中，有座法然堂，我尋到了，不上一炷香，攜本心經歸去，試悟色即是空。

——刊一九八一年十二月《素葉文學》4期，作者署名小思。

參

❖ 曾暗自許諾：今秋不想京都。……

……今秋，我又想起京都。

——小思〈京都雜想〉，見一九七八年十一月十一日《星島日報》副刊「七好文集」專欄。

證

❖〈不追記那早晨，推窗初見雪……〉，濃麗的美文，卻帶疏宕之意，恍如六朝小賦。八年後寫的〈京都短歌〉，則是清麗的小令，似淡抹而實濃情。前面寫在京都：「從前讀詩讀詞，實懷疑古人哪裡來許多惜春傷春之意，到如今，才了悟他們並非興感無端。恐怕不是善感，離開香港，令我覺得老得真快。」後篇留下一道啞謎：「且為您，寫下短歌八闋，從此我不再提起京都。」沒有說出何故。不過，京都之旅，使得作者原先得諸文辭，心中憧憬之美，落實為色相，應是無疑的吧！色相所生的實感而來的文章，不論疏密濃淡，注入了作者生命一部分，因而雖淡亦濃。

——黃繼持〈試談小思——以《承教小記》為主〉，見一九八五年三月五日《香港文學》3期。

一九八二年

今夜星光燦爛

◇完成香港大學中文系哲學碩士論文《中國作家在香港的文藝活動（1937-1941）》

燈色如海，升起陣陣暈黃的霧，使夜市的上空發散著迷濛的光氣。

遠航歸來的人說：「海上迷失方向，看見這種光氣，就表示有陸地，有人煙燈火了，這是得救的象徵。」

我抬起頭，看不見冬夜燦爛星空。

光害的世代，本來是這個樣子。也許該說，紛亂的頭腦看有光氣的夜空就是這個樣子：偶然抬頭看見初升、黃澄澄的大月亮，就訝然說：「那裡亮起了一盞大街燈。」儘管多麼熟悉星圖的人，還是會給人間燈火弄得糊塗了，連獵戶座也認不清。

天，本來渾然一體，自有必然的運行軌跡，星宿各安其位。

閃閃寒光，經歷了多少光年空際里程，來到人間，既照今人，也曾照古人。

為甚麼，我們竟給自造的光氣迷住？……

人事紛繁的時候，我忽然想到太空館裡的星空。

那裡，今夜星光燦爛。
金牛：七十光年，御夫：五十光年，獵戶：五百光年，波江：一百光年，雙子：四十五光年……就是一閃光亮，千秋萬載前，它們啟程奔向地球，如今，同聚在我的眼前。
沒有光害，沒有雲層，不保留的全在眼前。
彗星，我們只說它的速逝，但它在太空中卻滑行了九億公里。還有流星雨……一瞬即逝的，今夜全在這人造星空中。
我靜靜坐在太空館內，不想外面只爭朝夕的世界。青空如洗，且醉，今夜星光。

一九八一年十二月二十四日

——刊一九八二年一月四日《星島日報》副刊「七好文集」專欄。

死亡，別狂傲！——悼蘇恩佩

「若生命不以長度來衡量，
你已經行完了你的路程。
若生命不僅以量來評價，
你定必得到很高的分數。
若友誼不以年日來計算，
那我們也可以算是深交。」

其實，我們相對深談的機會並不多，但總是這樣開始：你端端地坐下來，深深咽一口氣，用手輕撥一下低垂額角的頭髮，說：「真是有太多太多工作要做了，咳！……」然後，你說突破、突破少年、青少年問題，說語文問題，說文藝推廣。每次，你總說得很慢，要深深咽許多口氣，可是，我總覺得你很急，不知道是你追趕生命還是生命追趕著你。近兩年來，你的話題裡多了「中國」。當你告訴我北上計劃時，我雖然為你的健康、體力擔心，但卻深切了解，你必須去。不久，你回來了，談到中國，你的眼神顯出異樣的光芒，不過也難免帶點憂傷，我們都明白，這憂傷的根源。

你還是那麼忙著行政、財務、公關。最後你跟我談的是開設書廊和資深編輯訓練班的事。消息傳來，你病了，我輕率地以為對於你只不過一場微不足道的小戰，誰料結果卻是你永遠離去。我只是個平凡的人，對於死亡，只有常人應有的恐懼、憤怒、悽愴、無奈。特別在世界需要更多熱心的人的時候，死亡竟然有了一次令人措手不及的「成就」，使我充滿憤怒和悽愴。

但你畢竟是個細心體貼的人，早為朋友預備了安慰的說話。今夜，我重讀你的書。你說：「我是一個蒙赦免、蒙救贖的人，死亡於我並非『不可知之地』，而是遷移到一個更美好、更光明的地方，更有能力地獻上自己。」我不是個基督信徒，但只要知道對於你來說，這是真的，我就相信了。至於你關心社群的精神，是永不言死的，因為必然後繼有人。於是，我冰釋了憤怒與悽愴，為了你所信。

——刊一九八二年四月十九日《星島日報》副刊「七好文集」專欄。

參

❖ 一九八二年四月十號，蘇恩佩去世前一天，對蔡元雲醫生說：「我預備好了，沒有一點遺憾，你放心好了。」她的確預備好，就歸她信的天家去了。一瞬又過三十年，世事紛紜，人情變異，我念念當年她對我的啟發，和以青年為先的工作態度，失去她，應是我的遺憾。

——小思〈懷念蘇恩佩〉，見二〇一二年四月七日《明報》副刊「一瞥心思」專欄。

證

❖ 一九八二年四月十四日《大公報》頁六：〈《突破》社長　蘇恩佩逝世〉，內文報道：「《突破》出版社社長蘇恩佩於本月十一日病逝。她近年創辦了兩份刊物：新加坡的《前哨》雜誌和本港的《突破》雜誌，其他著作還有《基督教神學思想簡介》等。」

一九八二年

讀書氣氛

香港學生的中文程度低落！

這事實已經引起無數的憂慮和慨嘆。但許多人都明白，憂慮和慨嘆沒有作用，這實在是一場激烈的「戰爭」，只有實際行動才有勝利的希望。站在這場「戰爭」最前線的，是中文科教師。他們正默默地負著沉重的工作擔子，面對輕視文字功能，而重視具體形象的一般社會心態，忍受不追根尋源、不問客觀因由的人的責難，努力地想各種方法，來改變這不幸的局面。

在許多方法當中，培養學生閱讀課外書的習慣，該是最艱難，但效果卻最顯著，影響最久遠的一項工作。

不過，只要求學生定期繳交讀書報告，並不是最有效的方法，因為學生一旦把「閱讀」當成功課，就可能為了應付才做。

我想，最重要還是造成一種氣氛——讀課外書的氣氛。

氣氛或潮流，是很微妙的動力，最初可能只是一小部分人談在做些甚麼，慢慢就會擴散開來，其他人不知不覺也加入了。

年輕人愛熱鬧，愛群體活動，大家都做的事，自己也容易投入，因此，氣氛或潮流一旦形成，就有很大的吸引力。

有了興趣，很容易變成欲罷不能的習慣，那就再不是「功課」了。

造成氣氛，老師的引導也很重要，可是，圖書館裡書沒幾本，大部分學生又沒有逛書店的習慣，手邊沒書，還說甚麼氣氛？

近年，青年文學獎工作人員和青文書屋，先後辦過些中學巡訪，到中學去辦書展，我看該有些作用。書集中在一起，師生熱熱鬧鬧地看書談書買書，氣氛就來了，愛看書的人自然高興，也可能感染一些不愛看書的人。

我想，在學校裡辦書展，在營造讀書氣氛方面，能助老師一臂之力。

——刊一九八二年四月二十九日《星島日報》副刊「七好文集」專欄。

參

❖ 如何培養閱讀的習慣和興趣？小思：可從三方面著手：

1.家庭方面：必須自小培養。例如：家長攜同小孩前往書店購書、抽空為孩子（在睡前）朗讀一些文學性較佳的書籍。

2.學校方面：老師可用不同的方法，如循循善誘、苦苦追逼，甚至運用高壓手段，其目的則一——希望能令同學多閱讀課外書。

3.個人方面：同學須為缺乏閱讀興趣承擔大部分的責任。有些同學閱讀時馬虎，只看開首和結尾，做閱讀報告時亦敷衍了事。同學應在閱讀時將感情投入，與其他同學分享甚至爭辯亦無妨。

——一九九一年五月二日「如何選擇適合的課外讀物」對談會紀錄，見《藍田聖保祿中學校刊》（一九九〇—一九九一）。

❖ 別人看小思老師是嚴師，但她卻「發明」了一些怪招，讓閱讀與學習變得輕易而有趣。怪招有哪些？「我在中學教書時，學生都愛讀亦舒，我教的是一間天主教學校，修女做校長，她說不要讓學生讀愛情小說，其實愛情才是最好的切入點；我就跟校長商量，請她給我一個學期時間，准許我讓所有學生讀亦舒，這算是怪招吧？於是我將全班分成多組，所有人這學期讀一百本亦舒小說，她們很開心……假設有四組人，第一組人在書中找出專門描寫男主角的作品，第二組專找女主角，第三組專找地點、人物活動的場景，第四組專找情節，然後將有關句子抄下來。後來要報告了，她們才發現糟糕，因為所有男主角就只有那麼幾句，所有女主角也只得幾句，如何報告呢？果然到報告時，發現在所有小說中，描寫男主角和女主角都是差不多的形容詞，情感發展也差不多。於是報告完成後我問她們，你讀一本跟讀十本，有何分別？我不是要批評，但這做法向學生證明了作家的風格。

——《虛詞．無形》編輯部〈小思專訪（上）：與文學最恰切的距離〉，見二〇一九年一月三日「虛詞」網，網上讀取：https://p-articles.com/heteroglossia/107.html

一九八二年

玻璃幕牆

「三合土森林」這個名詞快要消逝，香港市容已經進入玻璃閃爍的時代了。一幢幢新建成的大廈，平面上全封了玻璃幕牆，銀灰色的、黃金色的、褐色的，看來沒有窗子，像一個個玻璃盒子。

玻璃反映著天上流雲和對街大廈面貌，卻令景物有點變形。人走到街中央，就像走在哈哈鏡叢中，冷不提防地也會給陽光反照閃得一陣眼花。

哲學家、美學家都認為建築藝術足以體現一個民族的審美特徵，也跟人的感情個性有很密切的關係。細細看香港建築物式樣的漸變，就明白這畢竟是個定律，自然禁不住為都市人的感情個性擔心。

窗子，無論在意象或實用方面，都含了開放，溝通的意思。現在為了「實用」，避免外邊熱氣冷氣進來，把窗子全封起來，室內跟外邊就全隔開了。玻璃幕牆的特殊效用，把外邊的景物反映得一清二楚，躲在室內的人可以冷眼看外邊，外邊的人卻沒法子看見室內底蘊。

人在屋子裡，永遠活在中央系統控制的溫度中，夏天可能還得穿上夾衣，冬天可能又要脫下外套棉襖。錢鍾書說窗子的開關可由人自決，現在，恐怕連開關窗子的自決權力，也由不得我們了。在強調開放、自由的時代，這不免是一種諷刺。

可能有人認為我這樣想法，太不分好歹，竟然對科學帶來的舒適，不但不感恩，反而埋怨起來。

其實，我十分感謝科學帶給人類的一切方便，但也無法不懼畏科學發達惹出的併發症。怎樣在玻璃幕牆包圍中，牆裡牆外的人能溝通協調，應是值得思索的問題。

——刊一九八二年八月八日《星島日報》副刊「七好文集」專欄。

❖ **證**

不少著名建築師和城市規劃者，一直都反對過度利用這種物料來興建摩天樓宇。舉目皆見的玻璃外牆，雖是普世建築美學的代表，但對人們所置身的公共空間和城市結構，卻同樣有著深遠影響。……當整體建築都用上落地玻璃窗，在經濟實惠和景觀壯闊的同時，缺點也很明顯。它意味著室內空間會在夏天產生大量熱能，到冬天又會同樣流失大量熱能，變相加重了室內空調系統的能源開支。根據聯合國的統計，世界上40%的能源消耗都來自建築物。

——謝利：〈摩天城市：向玻璃幕牆說不，可以嗎？〉，見二〇一八年九月十日CUP，網上讀取：https://www.cup.com.hk/2018/09/10/cities-of-glass-towers/

靖國神社內外

內閣總理大臣祭「英靈」

——一九八二年——日本戰敗後三十七年，八月十五日
——日本無條件投降的日子，我在東京靖國神社大鳥居下看到的景象：

來自各地不同組織的青年團體，派來了插滿旗幟、標語的專車。代表各單位的青年人穿上類似軍裝的制服，頭額紮著紅日當中的白布條，有些在紅日兩旁分別寫上：「愛國」或「憂國」兩字。他們面容肅穆，列隊操向神社。

五六十歲的老人在鳥居兩旁擺下長桌，樹起橫額，請人簽名支持：要求政府今後要公式參拜靖國神社的「英靈」，他們臉上一片和平神色，向著行人特別是青年人派發宣傳單張。

兩個和尚持著標語——要求和平的標語，默默站在路旁，沒有人停下來看他們一眼。一個穿普通服裝，卻戴日本陸軍軍帽的青年人，撐著巨大日本旗，動也不動站著，沒看見他要求甚麼，八字型鬍子遮不住他充滿憤怨的表情。

大木門下，站了一個全副海軍軍服、別上許多勳章的人，十分神氣，許多青年人爭著為他拍照。

一群群穿著黑衣的婦人，特別是老年人，從祭壇走出來時，都在輕輕抹去淚痕。

十二時五十五分，日本人肅靜站在汽車通道兩旁，年輕幹探虎視著人群，我輕輕移動一下攝影機，有一個人就瞪住我。首相鈴木善幸坐在汽車裡，筆直坐姿，沒有笑容的臉，都是典型日本人的風格。今回，他用「內閣總理大臣」身份來參拜他們的「英靈」。

偏殿正舉行「台灣軍人殉國慰靈祭」，穿黑衣的寡婦、胸前飄著粉紅彩球的軍人後裔，靜坐聽僧人念經。我在簽到處探頭看看，一個老頭兒趕忙跑來問：「從台灣來的？」

從早上到下午，參拜的人絡繹不絕。靖國神社外，青年團體專車離開時，擴音器播出雄壯軍歌，絲絲細雨中，日本軍旗飄飄。

圖書中心辦戰史書展

東京鬧市中，一間著名圖書中心，由八月五日至九月十一日舉行了「滿洲事變及太平洋戰爭的戰爭記錄」圖書展賣會。展出圖書達幾百種，其中最矚目一套：「大東亞戰史叢書」，共一百零二卷，由防衛廳防衛研修所戰史室著，朝雲新聞社發行。全是軍方或參戰人士的當時實錄，其中《香港．長沙作戰》也佔一卷。另一套「昭和軍事史叢書」，由芙蓉書房出版，其中《東條英機》獨佔一巨冊，《大本營機密日誌》、《關東軍作戰參謀之證言》、《昭和名將錄》等，都是極詳細的史事紀錄。如果嫌上述各叢書偏於資料而缺趣味，則小學館出版的《昭和之歷史》全十卷，就適合一般人口味。每日新聞社出版的《戰爭文學全集》又可滿足文學愛好者的要求。此外，戰爭漫畫、圖片冊更不可勝數。許多書都是一九八二年七、八月間出版的，有些一九七二、七三年出版的舊作，也在此時再版。關心歷史的日本人，可以隨意找到自己想看的資料。

目前了解日本是首要之務

我考慮了很久，該怎樣寫這次在日本的所見。終於，決定了上面的寫法。希望這些很表面化的敘述，能呈現日本人目前某種心態和社會情況。

自從日本政府把東條英機等頭號戰犯靈位奉入靖國神社，我就覺得靖國神社是個最能顯示日本侵略野心的溫度計。雖然，我們無權干涉人家怎樣侍奉「英雄」，可是，他們那些「英雄」，卻曾欠下我們千萬同胞生命的債，那就不能不注意了。儘管，我們不是個記恨記債的民族，多少年來，「以德報怨」一句話安了自己人的心，而從前這筆賬，怎麼算也算不清還不了，但擺在面前的未來日子，總該好自為之，了解日本這個鄰國，更是首要之務。

只有自強才能自救

許多人都認為，這次竄改教科書事件，無論日本反應怎樣，對年輕一代還是有「好」處，因為最低限度挑起了青年人讀讀歷史、找尋史實真相的欲望。這點，對日本青年來說，的確毫無困難，深的淺的、正面反面的資料都隨手可得，但香港青年人就沒有這種方便了。「知己知彼」，在認知過程中，我們畢竟還做得大大不夠。如果，運動以停留在開開會、喊喊口號、唱唱抗戰歌曲的階段，激情豪情很容易冷卻。（一九四八年中國和香港都有過一個大規模的「反扶日運動」，可是，也在開開會、簽簽名、遞宣言的一番行動後，沒聲沒影，而日本就如此一直默默地強大起來。）這絕不是對付野心強鄰的好方法。

我跟一個日本教師談過歷史教科書問題，他毫不考慮地說：「我要告訴學生一切歷史真相。」許多書刊內容，也反映了：日本也有許多深明大義的人，他們並不贊同政府的做法。但我並不認為這就值得安心，不是以小人之心來看待日本人，而是我們必須清楚，日本人是群性很強的民族，在國家整體中，日本人會失去「個人」。現在「無事」狀態，他們還會個別地表示自己的意願，一旦「有事」，他們會毫無異議投入整體行動中，而在他們立場說，這也是應有的本分。因此，我們只有自強，才是自救的好方法。

香港是個可以客觀研究、了解日本的好地方，香港人今次自發的反對竄改教科書行動，表現了獨特的愛國家愛民族精神。但願這些行動和精神發展下去，不會變質，而是更具體的發展積極方向，作長期反侵略的基石！

一九八二年十月一日

——刊一九八二年十月《百姓》月刊33期。

參 ❖ 多説幾句

初到靖國神社那一年，令我驚訝的是那些穿著類似軍服，面容肅穆的青年人，和低頭緩緩而行，悲愁不堪的老人。神社中有一筆筆算不清他們自己人的生死賬，與外人無關。

人家年年提醒下一代：大和魂在神社縈繞。我們沒有辦法干預別人家祭。於是，我努力尋找我不知道的歷史：原來，一九四八年七月文化藝術工作者在香港曾有過〈反美扶日運動宣言〉。一切在我們後輩認知中，從不存在，因為沒有人告訴過我們。

二〇一五年十一月

——文末按語，見小思《一瓦之緣》，香港：中和出版社，二〇一六年，頁三四。

證 ❖

一九八二年八月一日《華僑日報》頁三：〈日軍閥罪行難掩世人耳目　日國會議員及教授　斥文部省歪曲歷史　並指責文部省將責任轉嫁民間　應對歷史真相負責再從實招來〉，內文報道：「一橋大學教授水原慶二說：一九七八年我編寫中學歷史教科書時，對蘆溝橋事件使用了『對中國進行侵略』的標題。但是，文部省卻提出所謂『改善意見』說，將侵略改為『進入』怎麼樣？不照文部省的意見辦就通不過，最後不得不將標題改為『日中戰爭』。」

中華民國七十一年公曆一九八二年八月一日　星期日　華僑日報　WAH KIU YAT PO　夏曆壬戌年六

日軍閥罪行難掩世人耳目
日國會議員及教授
斥文部省歪曲歷史
並指責文部省將責任轉嫁民間
應對歷史眞相負責再從實招來

日文部省歪曲史實
國大聯誼會通過
促政府採取步驟
台星泰報章皆著文大事抨擊
蘇聯亦責之爲猖狂軍國主義

對日竄改侵略罪行史實
南韓朝野羣起指責
政界輿論宗教集會皆一致聲討
日駐韓使館頻頻接獲恐嚇電話

於青春無悔

一九八二年

一個青年人從外國帶著四年學到的學識、一張很著名大學頒授的畢業證書回來了，可是，父母並沒有接回「學成歸來」兒子的喜悅。

「我是不是個大傻瓜？」他顯然有點沮喪，但還帶著苦笑地問我。是的，這句話，五年前，他已經問過一次，而在許多人眼中，真的值得再問一次。

五年前，預科功課正忙得不可開交，他卻寧願犧牲睡眠時間，去當義工。夜校裡學生多是工廠工友，他認為日校採用的社會科課程不實用，於是自己設計一套跟工友們生活相關的課程，編寫講義，拍製幻燈片。還向同學朋友募捐，為夜校買來一座幻燈機。學生反應熱烈，但有些朋友卻認為他「多餘」，那是他第一次問我：「我是不是個大傻瓜」的時候。我沒有給他答案，只反問了兩個問題：「傻瓜？定義是甚麼？」「學生上你的課很用心，公餘時間依你的話去備課，有疑難總先想起找你談，告訴你他現在懂得自己生存的價值，不再自暴自棄，把廠裡的工友也帶到夜校上課……對於這些事情，你有甚麼感覺？」他也沒有回答我，只見在往後的日子裡，他幹得更勁起。

唸大學選了社會工作系，家人已經有點不高興，問他幹嗎不唸電子工程或者其他容易「發財」的學科。畢業了，沒好好掌握移民機會，竟跑回來當個離島區的社會工作者，難怪父母不開心，難怪有人背地裡叫他大傻瓜。

「你後悔了？那你為甚麼回來？」大概，「後悔」兩個字用得太重了，他瞪著我好一會兒，沮喪神色變成凝重也帶點憤怒：「不！我不後悔。不趁我有精力的時候回來好好幹，我才後悔。困難很多，但還得有人去面對。五百萬同血同種的人在這兒，算他日一旦有事，一百萬人具備一走了之的資格，還有四百萬走不掉。何況，目前，要做的事情實在太多了，自己人不照顧自己人，等誰來照顧？我盡力幹，趁年輕！……」愈說他的眼神愈閃著信心光芒，先前的沮喪消失了，但我仍不放過他：「那麼，你不是個大傻瓜麼？」「是，是的，這樣的傻瓜我做定了。只是，家人不諒解，我有點難過。」其實，父母也不是蠻不講理的人，當他們「習慣」了兒子的行徑，看到他的工作成績，自然就會明白和諒解，我想，他的難過會很快過去。於青春無悔，我深深為這青年人祝禱，為我們社會有這樣的傻瓜慶幸！

——刊一九八二年廉政公署《豐盛人生》特輯。

❖ 參

鑑於八一年度之「邁向豐盛人生」計劃十分成功，社區關係處於是年內再接再厲，繼續推出「豐盛人生多姿彩」活動計劃，以鼓勵青年人對人生抱有積極的態度。……為進一步傳揚是次活動的訊息，更出版一份介紹多位社會知名人士如何追求健康及均衡人生之特刊，甚受青年人歡迎，全部五萬份特刊在兩星期內已取去一空。

——廉政公署一九八二年《年報》。

一九八三年

中國的牛

◇任香港中文大學中文系講師

對於中國的牛，我有特別的尊敬感情。

留給我印象最深的，要算一回在田壟上的「相遇」。

一群朋友郊遊，我領頭在狹窄的阡陌上走，怎料迎面來了幾隻耕牛，狹道容不下人和牛，終有一方要讓路。牠們還沒有走近，我們已經預計鬥不過畜牲，恐怕難免踩到稻田泥水裡，弄得鞋襪又泥又水了。正在踟躕的時候，帶頭的一隻牛，在離我們不遠的地方停下來，抬起頭看看，稍遲疑一下，就自動走下田去，一隊耕牛，跟住牠全走離阡陌，從我們身邊經過。

我們都呆了，回過頭來，看著深褐色的牛隊，在路的盡頭消失，忽然覺得自己受了很大恩惠。

中國的牛，永遠沉默地為人做著沉重的工作。在大地上，晨光或烈日下，牠拖著沉重的犂，低頭一步又一步，拖出了身後一列又一列鬆土，好讓人們下種。等到滿地金黃或農閒時候，牠可能還得擔當搬運負重的工作，或終日繞著石磨，朝同一方向，走不計程的路。

在牠沉默勞動中，人便得到應得的收成。

那時候，也許，牠可以鬆一肩重擔，站在樹下，吃幾口嫩草。偶然搖搖尾巴，擺擺耳朵，趕走飛附身上的蒼蠅，已經算是牠最閒適的生活了。

中國的牛，沒有成群奔跑的習慣，永遠沉沉實實的。牠們不像印度的牛，負著神聖之名，搖著尾巴在大街上閒蕩。牠們不像荷蘭乳牛、日本肉牛，終日無事可做，悠閒只等一死。牠們不像西班牙鬥牛，全身精力，都盡付狂暴鬥爭中。

默默地工作，平心靜氣。這就是中國的牛。

——刊一九八三年一月二十六日《星島日報》副刊「七好文集」專欄。

一九八三年

杏花春雨江南

從沒有見過杏花。

受寵於中國詩人的許多花，如梅菊桃李，我都見過，就是沒見過這開於梅後，卻仍可獨佔春光的杏。

「牆頭丹杏雨餘花」，又說杏花春雨，我想，那該是一種不怕雨的花，而帶雨後，自當另有可人姿態。

只是，為甚麼，它總在牆頭？

儘管杏林是個很好的典故，但惹得詩人心神俱醉的，卻是「一枝紅杏出牆來」，據說這薔薇科喬木花開五瓣，究竟有多大？很難猜想。

讀到「不如桃杏，猶解嫁東風」，就禁不住彷彿看到：一朵顧盼自豪的杏花，絕不像自憐自怨的殘梅，在暖風中盈盈粉淚。

*

「殘寒消盡，疏雨過，清明後，花徑欵餘紅，風沼縈新皺。」這樣子的春雨，點染了一幅怡人的美景。但抬頭看看窗外天色，伸展一下由過重水氣帶來的倦體，就不免懷疑詞人的感覺。「薄雨收寒」，寒是收了，但鎮日厭厭的微雨，天地間縈繞著一股鬱悶，萬物都黏黏纏纏的，好不叫人生煩。

細心想想，都怪自己粗心，忽略了「疏雨過」這三字。疏雨中，一切變得曚矓，只有過後，雲淡風輕，就顯得如琉璃般澄明。

*

我曾打江南路走過。撐一把傘訪了瘦西湖，在平山堂前喝一盅茶，看簷前雨不絕地打在階前青石上。

雨過後，收起傘，又去訪金山寺，不見法海和尚的威嚴，只見一個老禪師沉默守住陰冷石洞。

我還到過莫愁湖，也到過寒山寺……曾到江南，但檢點起來，我竟無法細說，這種情懷，誰能領略？

——刊一九八三年三月二十八日《星島日報》副刊「七好文集」專欄。

一九八三年

許墓

清明前後，總下著雨，把本來準備做的一件事拖延了，心裡很不安。

許地山先生在一九四一年八月四日逝世，葬在薄扶林道華人基督教墳場，四十多年來，不見甚麼人提起要去掃墓。年前受遠在南京的許太太所托，叫我去看看墓地是不是還完整，碑石有沒有破損。

按照信裡寫的墓地編號，找了許久，才看到那塊大青石碑，碑上刻了生卒年和立碑子女名字外，中央刻著：「香港大學教授許公地山之墓」十二個大字。

推想從前一定髹上金漆的，但年代久遠，風雨侵凌，都全褪色了，字體跟石塊的顏色差不多，已經看不大清楚。

那天天氣晴朗，但整座墓碑仍顯得陰暗荒涼，比沒有重修前的蔡元培先生的墓更荒涼。

站在那兒好久，不見在山頭為人打掃墓地的人，連給些錢委托人上點漆油也不成，只好暗自許諾，下次來，帶罐金漆帶枝毛筆，為褪色的字補上顏色。

平常日子，我不敢到墳場去——不是怕鬼，而是怕治安不好，清明重陽，人多上墳，才安心去。

怎料，不是事忙就是天氣關係，一拖再拖，直到現在，還沒有做妥。

人死了，原不必執著一塊石碑和幾根枯骨。火化後，骨灰散落五湖四海，或者供故鄉一株無名樹木作肥料都好，落得乾淨而不留給後人牽掛。

只是從前不流行這樣做法，傳統想法是入土為安，豎一塊碑，標誌著躺在那兒的人曾走過多少路。

任它荒涼頹敗，看了令人極不安心。

許先生為香港新文學做過不少工作，最後埋骨異地，子女又遠在內地，他的墓地，總該有人關心一下才對。

——刊一九八三年四月二十四日《星島日報》副刊「七好文集」專欄。

參

❖ 一九八三年四月二十四日，我寫了一篇「許墓」，慨嘆許地山先生的墳墓破落荒涼。刊出後不到幾天，就收到一個舊學生的電話。這學生平日極少見面，也不大通電話，這回在電話裡，她的話也極爽快，表示自己正從事殯儀行業，叫我把許墓編號告訴她，讓她去處理，並說把褪了色的碑刻胡亂填上漆油不是辦法。……

到今年清明節，我到薄扶林華人基督教墳場去，才發現許墓已重修，破落的地面鋪好了，青石碑打磨過，碑上字體填上發亮的金色，一洗往日的陰暗荒涼。……

回到家裡，趕快撥電話給處理這事的學生，問她所需費用。怎料，她說了些修葺經過後，竟拒絕說出費用。她默默做了這事，不收一文錢，這番心意，我實在十分感動，在此，謹代表許地山先生家人向這位有心人，致最深謝意。也向關心過許墓的朋友作個交代：許墓重修了，金字燦然的青石碑，穩穩樹在水泥台階上。最後，更謝謝重修許墓的人，謝她了卻我一樁心願。

——小思〈許墓重修〉，刊一九八四年四月二十日《星島日報》副刊「七好文集」專欄。

證

❖ 今天（三月一日），我收到中文大學盧瑋鑾小姐（即小思）賜函稱：「拜讀二月十六日《信報》上大作《港大新書》，文中提及許地山先生最後說『香港對有學問的人如此尊重，令人感動。』我不禁十分感慨，呈上拙作兩篇，大概可反映問題所在。明年（九四年）二月是許先生百年誕辰紀念，香港恐亦無人記得了。如香港大學能舉辦一次研討會或紀念會，應很有意義。聽說有人想辦，只是經費難籌。許先生子女想來掃墓也未易成行。一切都令人無奈。」

——張文達〈小思來書〉，刊一九九三年三月五日《信報》副刊「筆縱」專欄

一九八三年

不遷

安土不遷謂之土著。

業農的民族最明白不遷的意義！

在一塊屬於自己的土地上——是肥沃是瘦瘠，不能苛求了，好歹是自己的土地，算是命中注定，就在這土上一生一世。

推動犁，舉起鋤，撒下種，從此，得看風看雨。陰晴不調，蟲豸貪婪，都帶給農人沉重的憂傷。

他們也許埋怨，也許沉默，但毫無疑問他們都盡力保護這片土。

汗流在這裡，血流在這裡，種子的根日漸深深吃住泥土，他們的生命也切切附著土中。

流離的歲月是苦澀的，業農的民族逼不得已也會嘗到這苦果。

災難來臨，他們只好嚼著心底的苦味，別了還有火溫的爐灶，背起筬簍裝載的僅有家當，到可以求生的遠方。不過，這不是永別，他們不懂得許願，但實在知道，一切在這裡，應該原封不動，等待某一個日子，主人歸來。

果然，在某一天，有些主人回來了，有些——有些魂夢越過海和天回來了。他們悄悄打開舊時門戶，拂去灶上厚塵，探首破毀東籬，躑躅荒蕪田園。於是，默默一切從頭開始，推動犁，舉起鋤……算命中注定，就在這土上一生一世。

不遷，這種根須著土的情意，並不浪漫，沒有寫下任何轟烈故事。無名的人，平凡的事，在這土地上年復年的出現、隱沒。

不必建一個紀功碑，只要看看土的顏色，嗅嗅土的芬芳，就該明白不遷的人，有多大勇氣。

——刊一九八三年六月五日《星島日報》副刊「七好文集」專欄。

參

❖ 一九八〇年代中英開始談判，目睹親友一個個移民，觸發她研究香港身世。「原來有一些人對那片土地的留戀並沒有那麼深，有事就趕快走，沒有事情就回來，那這個地方不是很慘麼？如果我父母有事，我走開，有錢了，我再回來，那太可怕……」所有親人都移民了，只有她堅持不走。「哥哥當年勸我走。我心想：『為何要移民呢？況且我很喜歡在這裡教書。』現在很多香港人後悔為何不早點走，我比較食古不化的，從沒有後悔。」小思動情地說：「香港孕育我，我十分感激這個地方，如果有難便離開，太不負責任了！」

——鄧傳鏘、麥善恒〈安土不遷　小思：香港命大不會死〉，見二〇一六年十月《信報財經月刊》。

一九八三年

憶與感

岑逸飛兄在他報談「教授風範」，文中提及兩件事：一是唐君毅先生、牟宗三先生的講學風範，另一是陸離的筆記，不禁惹起了我許多回憶和感慨。

有機會上過唐牟二先生的課，是此生之大幸。他們講授時神態，記憶猶新，但要用文字描繪出來，我實在怕沒有能力寫得精確。如果大體說印象，唐先生講課是萬馬奔騰，表面像很亂，但領首的馬必定方向，實質很整體地朝一定方向前進。

唐先生講授時真是忘形渾然與天地為一，同學也無一分一秒稍為鬆懈。牟先生講授是清風朗月，超然飄逸，清風無意吹人，朗月無意照人，但人卻一一承受了。

至於陸離的筆記，又是我進入新亞後，大開眼界的一件盛事。岑兄說她的「記錄能力，舉世無出其右，連一個噴嚏也不放過」，實在一點也不誇張。牟先生的筆記易做，但唐先生講授時，既似萬馬騰躍，要圈住萬馬，不漏一匹，真是談何容易！只有陸離卻具絲毫不差的記錄能力。說起筆記，當年同學水準已經不差，因為我們上課都十分用心，感到老師說的研究精髓所在，平白錯過是罪過，加上運筆如飛已成習慣，每人一本較全面的筆記，根本不是件難事，可是跟陸離的筆記相比，就給比下去了。

最近看到一些大學生的筆記，簡直連大綱式也說不上，問起原因，竟是老師說得太快記不住，而錯別字之多和文句不通的情況，更叫人觸目驚心。

有些較認真的同學，倚賴了錄音機，但要費時重聽一次，變回文字紀錄後，也不見得全面完整。

甚麼原因形成這種「局面」？

深思一下，不禁感慨繫之。

——刊一九八三年六月十六日《星島日報》副刊「七好文集」專欄。

這叫「水土不服」
——向大一同學講話

「中大真美！真大！」這幾乎是每個初見中大校園的人的讚歎。但每年九月十月間，只要細意問問剛進大一的同學，就會驚訝他們竟有很不同的感覺。

九月十月，陽光還很熾熱，郊外也不見得涼快，大一同學多滿臉迷惘，揮著汗在中大山上山下跑，有點像「流離失所」的樣子。跟他們談起來，就是嫌中大太大，一些甚至會說喪氣話，彷彿一場美夢都破滅了，以後的日子不知道該怎樣過。

大一同學這種感覺，我很了解，常常告訴他們不必擔心，這叫「水土不服」，很快就會適應。為甚麼會出現這種情況？說起來，簡單得很，病源有兩個。第一個是習慣問題。短短幾個月，由中學生變成大學生，身份是變了，但人還是同一個人。六七年來，在中學裡，習慣了在固定的幾個課室上課。頂具規模的學校，校園也大不了多少，課室集中在一兩幢建築物裡，要走動的機會不多。儘管嫌班主任囉嗦，到底還是像個家長，關心照應，每件事在班上宣布，解決辦妥。每年升級，談得來的老朋友，總會有一兩個在身邊，小息時分，操場上食物部裡，爭相說長道短，十分快樂，可以說永不孤單。可是，一下子進了中大，甚麼都變了。校園大得令人不辨東西，曾肇添樓、潤昌堂、崇基教學樓……加上英文字母作代號，簡直比大觀園還要複雜。上課呢，第一節在山上，第二節在山下，錯過了校車，得像賽跑般趕得氣咻咻。同學嗎，不同的課有不同的同學，連對方樣子也沒有看清楚，更不必說甚麼交往了。一天裡，沒有課的時候，東闖西蕩，想找個落腳地方，又不慣坐圖書館，飯堂、學生休息室到處是陌生面孔，忽然覺得孤苦伶仃，有時愈想愈淒涼。別笑這太幼稚，由於不習慣惹來的失落感，人人難免，分別只在濃淡不同和適應快慢而已。

第二個病源是幻想的誤導。不知道甚麼原因，許多中學同學都把「大學」幻想成一個夢幻樂園——絕對自由，沒有考試測驗，拿著一兩本自己愛讀的書，在草地上閒坐，聊聊天，翻翻書，總之就是擺脫一切中學時期困人的東西，才算大學生活。怎料進了中大校門，卻依舊要面對許多「不自由」，選課、必修、學分，都有制度。還是免不了考試測驗，另加導修和報告，讀的課程往往廣闊而精深，上課方式又跟中學不大相同，一點不如想像中的浪漫自由。不知道自己該怎麼辦？其實，我們都明白，世界沒有絕對的自由，任何團體組織，都該有制度，成員都應服從制度。只有良好制度才使人類走上正軌和進步，大學怎可能例外？中學少提的「理想」「責任」，大學生也該仔細想想了。大學，是切切實實用功、思維、搜索的地方，不是個夢幻天堂。

兩個主要病源形成了「水土不服」，但不必慌張，一兩個月過去，病就會好了。新同學多談兩句，自然找到志同道合的人。熟習山上山下、大路小徑，就會感到中大山水有情，也必然找到一個愜意的角落。至於夢幻，破碎了才好，從此可以實在的看問題，正標誌著人又跨前一步了。

大一同學，假如真患了這個「病」，不要怕，只要不是自我封閉和拒絕適應，很快就會康復，一條全新道路在前面展開，這才是大學生活。

——刊一九八三年九月一日香港中文大學《學生事務》。

一九八三年

真正看

「這是我們有生以來，第一次真正看畢春芳戚雅仙呀！」舞台旁邊的字幕剛映出兩個人的名字，陸離就回過頭來對我說。「真正看」，相信除了我，別人不會明白這話的含意。

我們從來沒看過畢春芳和戚雅仙，可是，在感覺上，卻看過無數次，簡直可以稱得上是老戲迷了！

多少年前，看夏夢、李嬙演的「王老虎搶親」，就認識了兩種嗓音和唱腔，有異於我們熟識的范瑞娟、袁雪芬、徐玉蘭、王文娟。

最初，我們只覺得唱腔特別，但並不太喜歡，門外漢加廣東人，根本不知道代唱的是誰。

後來，看了前輩司明先生的文章，才第一次知道畢、戚這兩個名字。也分不清楚是夏夢、李嬙演得好，角色個性跟聲音配合得好，還是畢、戚的腔調本屬「愈聽愈有韻味」那一類，漸漸，我們學懂欣賞了。

說來奇怪，每次聽見畢春芳的濃厚鼻音，我就想起夏夢的鼻子，聽到戚雅仙翳鬱如嗚咽的嗓音，我就想起李嬙微弓的身子和緊鎖的眉頭。看了多少次「王老虎搶親」，就等於看了多少次「畢春芳戚雅仙」，這種錯覺，一直到最近在電視上看她們演「樓台會」，才忽然驚醒過來。

陸離說「我們去看」的時候，我反有點遲疑，因為除了沒有陸離那種「不老的癡情」外，我委實害怕驚醒後的不慣。

但，終於，我坐在舞台下真正看畢春芳戚雅仙。

從認識聲音到看見樣貌，竟要等待十多二十年，而其間她們還遇上了不少風浪，能在香港舞台上看見她們，那種感覺實在十分複雜，比重看徐玉蘭、王文娟時那「恍如隔世」的感覺還複雜。

「真正看」三字，包含了許多滄桑，也包含了一種難言的悲涼。

——刊一九八三年十月二日《星島日報》副刊「七好文集」專欄。

❖ **證**

一九八三年九月十四日《大公報》頁六：〈應邀參加戲曲匯演　戚雅仙與畢春芳　明起在港演越劇　門票售罄　將在利舞台加演三場〉

應邀參加戲曲匯演

戚雅仙與畢春芳
明起在港演越劇

門票售罄　將在利舞台加演三場

【本報訊】應香港越劇票房邀請來港的內地著名越劇演員戚雅仙、畢春芳，將於本月十五日至十八日參加中國戲曲匯演。他們在大會堂演出的五場門票已被搶購一空。為滿足廣大戲迷的要求，香港越劇票房與聯藝公司將於本月二十六、二十七、二十八日在香港利舞台安排他們加演三場。加演的各場門票於今日起在利舞台、新光戲院、敦煌酒樓公開預售，票價為一百二十元、一百元、八十元、五十元、三十元五種。

演出的劇目有《何文秀》（趙志剛、連玉燁主演）、《沙漠王子》（趙志剛主演）、《蘇三起解》（戚雅仙主演）、《回十八》（畢春芳主演）、《樓台會》（戚雅仙、畢春芳主演）、《龐堂認母》（戚雅仙、畢春芳主演）。

掘文墓者言

一九八三年

近十年，我有意無意間做了一個「發掘文墓和揭開文墓」的人。錢鍾書在「寫在人生邊上」和「人獸鬼」兩書的重印序裡，給專門翻出湮沒了很久文章的人，加了「發掘文墓和揭開文墓」者的名堂，看文章的上文下理，這名號不見得有甚麼稱許的意思。

許多作家的作品，都先刊在報紙或雜誌上，過一段日子才收集起來成書出版。這些書，有些經作家自選，有些經編者挑選，選者總有不同喜好，沒收入集的文章，後人就不易讀到。幾十年來，流離和動亂，也使無數刊過的作品埋沒了，從此在人們的記憶中消失。

這種情況十分普遍，對作家對作品來說，都該屬「不幸」。

雖然，有些作家不願把某幾篇文章收進集子裡，以便保持風格完整，或不想以少作示人，但這畢竟是作家寫作生命的全部，欠缺了總是一種損失。這些消失了的文章，就埋在世上不同的「文墓」裡——圖書館裡浩如煙海的報紙雜誌，得等待有人去發掘。

我不知道這樣子「掘」，會不會引起作家的不快，但在我自己，卻是興味愈來愈濃。從塵封發黃的紙堆裡，翻出一篇名家不為人所知的作品，那「眼前一亮」的快樂，那「唯我獨得」的成功感，恐怕只有同道的人才能理解。

如果有人說這不過是另一種「虛榮心」，我也只好承認了。

多少年來，坐在故紙堆前，細心一頁一頁翻閱，有時連續翻了五六天竟一無所獲。擦了幾回倦眼，舒了幾次因久坐而痠痛的筋骨，仍舊坐下來，繼續工作，那種惘然疲憊而又不肯言休的堅持，恐怕也只有同道的人才能理解。

如果有人說我是個掘文墓的人，我承認了，只希望對任何人沒有傷害。

——刊一九八三年十二月二十日《星島日報》副刊「七好文集」專欄。

❖ **證**

考古學提倡發掘墳墓以後，好多古代死人的朽骨和遺物都暴露了；現代文學成為專科研究以後，好多未死的作家的將朽或已朽的作品都被發掘而暴露了。被發掘的喜悅使我們這些人忽視了被暴露的危險，不想到作品的埋沒往往保全了作者的虛名。

——錢鍾書〈《人·獸·鬼　寫在人生邊上》重印本序，一九八二年。

一九八三年

他們開倒車？

偶然看到一套日本電視片，名字忘記了，內容說一個報館老闆看見下屬不懂得用小刀削鉛筆，就決定發起一項鼓勵日本小孩用小刀削鉛筆運動。詳細劇情沒甚麼可說的，只是當時同看電視的朋友的反應，值得說一說。他們邊看邊懷疑，帶著揶揄口吻說：「不會弄錯了罷？日本文具設計頂出色，就是鉛筆刨的款式已夠叫人迷了眼。電動的，鉛筆插進去，一下子削得尖尖的，多方便。竟然鼓勵孩子用小刀去削，不是開倒車嗎？這樣的情節，誰相信？不是老闆糊塗，就是編劇糊塗了。」

難怪朋友生疑，幾年前，我也同樣想過。惹起我這樣想的，不是電視片集，而是真人真事。八年前，住在日本，我很留意社會動態，因為想多了解這個國家。那年，給我印象最深刻的一件事，就是「鼓勵小孩用小刀削鉛筆運動」。發起這運動的人包括大學教授、權威兒童心理學家、社會學家、教育工作者、家長。報紙刊出專門論著，電視台撥出黃金時間來開討論會，可以說得上聲勢浩大。他們的論點是：兒童受教過程中，最重要是教曉他們怎樣運用腦袋、運用身體四肢，去完成要做的事。要做的事愈複雜，給腦袋身體的訓練機會愈多，完成後的成功感愈強，小孩子從實踐中獲得的經驗和快樂就更豐富。把鉛筆往電動削筒中一塞，動作太簡單，小孩子也不必用腦袋，鉛筆削得好不好，與他沒關係。用小刀親自削出來的鉛筆，樣子好壞，就得看小孩子的手藝高明不高明，這裡也包含了競賽和鼓勵的意思。過分方便，不是學習的好竅門。至於怕小孩會給小刀割傷，那只要事前教導得好，出錯機會不多，萬一小孩傷了自己，也該是很好的教訓和經驗——下一次要小心避免損傷。當年這個運動，有贊成的，也有反對的，十分熱鬧。結果怎樣，由於我離開了日本，就不大清楚了。但看至今還成為電視片集題材，相信還沒有冷下去。

最初，我也懷疑這運動是開倒車，可是，聽他們言之成理，再想想這運動產生在科技、經濟發達，重視國民教育，以兒童為本位的國家，就覺得不會是「無事找事」玩意了。

避難趨易，是人之常情，但老師教導學生的時候，給他們一些難題，不是有心跟他們過不去，只為讓學生有苦練機會。反正，青年有的是幹勁、魄力、嘗新的勇氣，一點點苦頭是難不倒他們的。何況，過了難關的快樂，也不是別人能給的。不是要說甚麼大道理，只是由此也想起自己有過用心把鉛筆削得尖尖、木身線條圓滑美觀的童年，和十分稱心的成功感。這種快樂和得益，恐怕不是買一雙名廠球鞋、一個聽筒式迷你型錄音機，所能比擬的。

日本的物質生活豐盛，已是世界聞名的了，但仍推行那令我們懷疑開倒車的運動，就值得我們仔細思量了。

——刊《學生時代》「三人行」專欄，年日不詳，見小思、林之、阿濃、張思雲《三人行》，香港：香港新一代文化協會，一九八三年。《三人行》單行本收小思文四篇。

❖ **證**

《學生時代》雜誌的《三人行》，取「三人行，必有我師焉」的字面解釋，寫稿的三人都是老師，先是小思、張思雲（即張文光）和阿濃，後小思事忙退出，加入林之（即程介明）。故出書時《三人行》有四位作者。一九八三年初版，一九八四年已四版，說明銷路不錯。

——阿濃〈合寫的專欄〉，見二〇一六年八月一日《大公報》文化版「南墻集」專欄。

一九八三年

機械以外

看見腰間掛著小型錄音機、兩耳蒙著聽筒的年輕人滿街跑，看見小孩子玩著不同種類的電子遊戲機，就不禁想：該說他們幸福呢還是該說他們不幸？

那些多采、刺激、有巨大吸引力的玩意，如果說它們不好玩，不是瞎說就是違心之論。我們童年時代就沒有這樣先進科學玩具，那麼，他們不是比我們幸福嗎？

我們童年玩些甚麼？精緻玩具不是家家買得起，但孩子不愁沒玩意，幾枝香腳（家裡神位前的香爐，每天三炷香，就有九枝香腳）、一條小繩子、幾塊碎布，都可以玩之不疲。有時，人多了，就玩糖黐豆、跳飛機、十字界豆腐……。時代畢竟進步了，孩子們生活在物質豐盛的社會裡，我們無意強他們回頭走，可是，成年人該有責任，告訴他們，那些電動玩物，欠缺了些甚麼東西，而那些東西又是多麼的主要。

別小看那些不用錢買的香腳、繩子、碎布，通過孩子豐富的聯想力，就創作出不同花樣的玩意來。從無到有，是人類利用僅有的物質，利用聯想力的偉大成就。孩子玩的當兒，正在學習走上「創造」的歷程。過於現成的玩具，沒有這種效用。孩子間的遊戲，還有一個重大的意義，就是學習建立人際關係，學習組織，學習團體秩序。糖黐豆、跳飛機等等集體遊戲，都包含了這些成分。也許，遊戲中，他們會鬧意見、吵嘴，但一會兒又和好了，當中就表現了寬恕和諒解的美德。遊戲活動帶來的是人的接觸，我們聽到對方的聲音，看見對方的笑容和苦臉，我們在「人」的當中成長了。

從聽筒傳來的是單調的音響——聽者不必回應，從電子遊戲機看到的是簡單閃光構成的圖形，聽到的是單調的電波聲，人的關連怎樣建立起來？從沒有喜怒哀樂的機械身上，我們能學到甚麼呢？如果說現代人的不幸，這就是不幸了。

我不是反對那些電子遊戲機和錄音機，只是，我想告訴玩得起勁的朋友：那些是沒有生命的機械，我們必須明白：人是活在有生命的世界上。抬起頭來，多聽多看多想，有生命的世界，還有許多值得我們欣賞、學習的東西。

——刊《學生時代》「三人行」專欄，年日不詳，見小思、林之、阿濃、張思雲《三人行》，香港：香港新一代文化協會，一九八三年。

一九八四年

悠然去矣

「卅年羈客久，匆匆七十九，鐵筆活妻兒，身外一無有，七十古稱稀，百歲又何期，壽莫過彭老，終於一別離，有生必有死，浮生如戲耳，得失隨自然，富貴奚足恃，萬物本循環，時光去不還，留芳與遺臭，褒貶在人間。」

以上一首詩，是馮康侯老師的「七十九自題小照」。那天晚上，情景還歷歷在目，閒談中，老師說：「做人要認真，但不是緊張，得失隨自然呀！」他就唸了上面那首詩，還在一張原稿紙上，寫了送給我。但細細一算，那已經是兩年前的事了。

這幾個星期，我一直在想：老師去世，我為甚麼會沒有大悲慟，卻常常想起他平時的言笑？今天，重讀他這首詩，我才有點了悟，是老師的處世態度，在不知不覺間影響了我。

我們都知道老師的成就，也知道他的認真和用力之勤，可是，他永遠給我們一種悠然自得的印象。說話淡淡然，瘦削而多皺的面常泛笑容，好像沒有甚麼事值得動氣的。他的兒子急病去世，和師母的逝世，我們都擔心老師會受不了，但到頭來，我們卻訝於老師的淡然。

也許，只有老師才明白：要有多少內斂修養，方可練就這種既深沉又淡然的對待人生態度。他常說：「寫字寫得好，不是為了做書法家，也不是為了開幾次展覽會。寫字可以修養心性，所以，寫字可以令人心平氣和。」老師認真忠於藝術，卻不斤斤於名利，生命長短，富貴得失，於他是不重要的。無所求，也無所急，他就悠然淡然了。

老師在生，盡了一切責任，對死又早有「準備」，假如，說他現在是悠悠然休息了，我們也為他安心。

馮老師去矣，我們心平氣和地永遠繫念他。

——刊一九八四年一月十三日《星島日報》副刊「七好文集」專欄。

證

❖ 吾家番禺馮公康侯先生。周前不幸以疾辭世。遠近聞者。莫弗悼心。……先生為近世金石篆刻名家，……竊以為鄧公爾雅，羅公叔重，陳公語山（仍老當益壯），與馮公康侯，宜稱廣東四傑。

——潘兆賢〈為鄉前輩馮康侯仙逝貢言〉，見一九八三年十二月二十日《華僑日報》頁三十六。

❖ 一九八四年十二月二十五日《華僑日報》頁四：〈馮康侯教授逝世周年　經緯校友公祭表哀思〉，內文報道：「農曆十一月初四，為馮康侯教授逝世周年紀念。經緯書院校友為表哀思，定於十二月卅日（星期日）乘專車前往柴灣永遠墳場公祭。」

一九八四年

寫下去

柴娃娃說：「星辰版要開一個專欄，找七個人來寫，每星期一篇，負擔不那麼重，你也來湊湊興。欄名想好了，七個女子的文集，就叫七好文集，如何？」言猶在耳，可是一轉眼間，已是十年前的事。

十年，不論是長是短，總算個兩位數字，一個整數最易叫人想起回顧、結算和紀念。細細翻閱剪報舊文，不禁生了許多感慨。自己原不是個寫作人，只因機緣巧合，有這麼一個磨練機會，十年來，斷續地寫，畢竟也寫了近四百篇東西。文筆尚算有點進境，但思想意念卻不見新鮮，這樣寫下去，真不是味道。曾經想過求變，只是，變，真是談何容易。加上生活圈子窄，近年來精神時間幾乎全集中在教學和研究方面，特別在研究課題上，使我埋首故紙堆裡，更難新起來活起來。還有一點最傷腦筋，就是寫得慢，通常呆坐大半天，才寫成一篇七八百字的東西。寫得較滿意，那還罷了，但往往是不滿意的多，想起來就覺浪費時間。

由於下筆艱難，脫稿的毛病就多了，這種不守信諾行為，使我很慚愧。給編輯和代我填稿的人帶來許多麻煩，也不是衷心說幾句對不起可以補償的。想了又想，還是退出停筆，反正，十年是一個很好的段落。決定了就向編輯何錦玲女士說，可是，我還沒有把理由說完，她就制止了，「不要說，寫下去。」何女士平日聊天溫柔得很，辦事決斷卻爽快嚴謹得令人吃驚，語音未落，她已轉過頭去跟別人說話了。帶著一半未說的話，我再找不到機會說下去，忽然覺得自己有點自尋煩惱。

寫下去，以後該怎樣寫，是最值得深思的問題，我真怕辜負了這樣好的一個園地。

——刊一九八四年四月十六日《星島日報》副刊「七好文集」專欄。

參

❖ 盧：我現在在《星島日報》的專欄，讀者面較廣，再不只是學生，而且，我老了，不能再寫年輕人所思所想的話題，而希望寫自己這輩人的看法。因此，我的筆能放開些，即是我沒有考慮我的讀者明白與否，或他們需要與否。不過長久以來已被定形，說話要慎重，在這情況下，即使不再有特定的讀者對象，我也難以釋放自己。所以這也是創作中的一個局限，因此沒有了一些揮灑的文采。

——〈不是作家的小思〉，見一九九〇年五月香港浸會學院中文系系刊《新宇》27期。

❖ 小思：作為中文老師，創作時不能越軌，否則會令學生接受錯誤的訊息及受到質疑，因此這個心理狀況是很難解決的。

——6A 張爾詠、蕭麗珊、王詩雅〈小思專訪〉，見王肇枝中學《菁莪》一九九七－一九九八年度三月號。

一九八四年

口述歷史

有人說我是個「資料狂」，這個壞名聲，我願意承擔。愈來愈明白，沒有翔實資料，甚麼歷史面貌、評價，都無從說起。一切資料，包括文字、實物、口述，足可幫助發掘歷史真象，有時比看史家寫出來的文字，更容易反映事實，也更叫人驚心動魄。

許多資料種類中，以當事人的回憶最珍貴，因為必然包括了個人的感受和當時文字不宜、不能、不便記錄的人與事，但正因這樣，許多當事人都不願意「真實」地寫回憶文字。所謂「真實」，是指不迴避對他人的評價，不怕牽涉其他有關人等。時光易逝，一切不為外人所知的真相，就埋沒在當事人心底，隨他遷化了。

美國哥倫比亞大學曾有過一個「口述歷史計劃」，請了些與歷史發生關係的中國名人，由對該人有研究的學者來協助，讓他們口述錄音，而最重要一點，是那些錄音資料「絕對保密」，等過一大段日子，人物都過去了，才正式公開。有了保障，口述者就可以暢所欲言，也較真實。

不過，既然是當事人口述，其中也難免個人主觀偏見或誤記，因此，那個協助的研究者就十分重要。他必須先下苦功，把當事人所有文字資料、旁及資料研究清楚，再與當事人共同議定口述歷史的大綱，同時也提供有助當事人記憶的正確資料，甚至提出某些已見的錯誤資料，以求訂正。

這樣，既可填補文字記載的空白，又能訂誤修訛，同時，還可以避免回憶者亂跑野馬或胡說一番。

這些珍貴資料，如果落在有識見公正的歷史學者手中，必然為後代寫下具真實性、批判性的史書。鑑古知今，還歷史真面目，一切該由史料蒐集開始。

——刊一九八四年六月三十日《星島日報》副刊「七好文集」專欄。

人物訪問

人物訪問，是口述歷史的雛形，我也嘗試做過一些訪問，可惜的是都很失敗。事後檢討失敗原因，一方面是我準備不足，事前沒掌握受訪者的重要資料線索，問不出甚麼珍貴材料來。

另一方面也是最重要的一點，是時間不夠。人家做口述歷史，兩個負責人可以朝夕相對，生活費及經費由主其事機構或某些基金提供，一邊談一邊補充資料，一邊研究，花一兩年時間也不成問題。我卻靠個人有限的公餘時間，還得等待受訪者甚麼時候有空。而許多老人家回憶時愛跑野馬，一兩個鐘頭說來說去還不到主題，採訪者必須耐心，加上如果一本正經說是「訪問」，老人家就往往變得無話可說，反不及平日喝茶聊天來得自然多采。但以目前工作量，哪有時間去喝茶聊天？結果就錯失了許多採集口述歷史的機會。

經驗中，做得較好的是陳君葆先生的回憶，只因當時我任助教，工作清閒，每一星期，總有一天到南丫島或太古城去訪陳先生，陪他聊天，讓他隨意說三四十年代文化界往事。

遇到疑問，我就回圖書館找文字資料，隨時訂正，又複印有關資料給他，提起他的記憶。這樣，他斷斷續續提供給我很多有用資料，憑著這些線索，可不斷擴大或集中搜索範圍。可惜後來我太忙，沒辦法繼續「聊」下去，而不久，陳先生也去世了。另一個訪問，本來是訂了較詳細計劃的，對象就是馮康侯老師。約好每星期一個晚上，由他自小生活說起，但只做了一次，就因馮老師有些個人問題，晚上沒空而暫停，誰料這麼一停，以後就再沒機會，因為不久前，馮老師也去世了。

許多老人家是資料寶庫，可惜總來不及開啓，這種損失，是不能彌補的。

——刊一九八四年七月三日《星島日報》副刊「七好文集」專欄。

參

❖ 盧老師退休後其中一項文學研究的延續，是進行香港文學口述歷史的訪問。她試過想訪問左派雜誌的編輯，由於太敏感，當事人不願接受訪問。不過，後來終於被盧老師的認真、中立、一心只為研究香港文學的誠意打動了。「只是一餐茶，開始時他只答允給我公司的電話，後來漸漸取得他的信任，他又給我家裡的電話，到走的時候，甚至給我手提電話。」

——〈小思訪問之二：知己知彼　融入文學教育中〉，見二〇〇三年六月二十二日《公教報》文化版。

苦澀的經歷

中美女子排球決賽那天，許多香港市民都很緊張，這種感情，非關政治，很自然的，也不自覺的跟國家民族連在一起。面對這場比賽，中國人必然站在中國隊一邊，這種單純不必選擇的立場，使人十分快樂。

但——我有過一次十分苦楚的經歷，事隔八年，每一想起，苦澀味愈來愈重。

一九七七年七月三十日黃昏，北京工人體育館正舉行一場國際青年足球冠軍爭奪戰，香港隊對中國青年隊。

我參加的旅行團剛路過北京，導遊員好意安排，爭取了門券，讓我們一群香港遊客去看這場足球賽。多了一項額外的節目，又可參觀龐大的工人體育館，又可看球賽，我們顯得十分興奮。

香港隊出場，我們熱烈鼓掌，中國隊出場，我們熱烈鼓掌。球賽正式開始了，戰況很緊湊，忽然，我們發現自己一團人變得很特別——香港隊進攻或扣門時，我們鼓掌喝采，在幾萬觀眾偌大的球場裡，二十來人的一小撮，變得很奇特。還沒比賽前，我一直以為中國隊與香港隊都是「自己人」，誰勝誰負，沒有關係，我會很平心不分彼此的對待。

但開賽之後，情緒竟不是想像中的平靜，甚麼客觀冷靜理性，通通不見了，沒有思維，只有直接的反應。沉在一場激烈戰爭中，我愈來愈關切香港隊的勝負，他們的一進一退，都令我驚心動魄。

這場比賽，香港隊以一比二輸了，相信許多人都忘記了有這麼一場賽事，但，我卻忘不了。

這場球賽，不是香港隊輸了，是我輸了，它毫不隱藏地揭露了一個事實：在不知不覺中，我已經是一個完完全全的香港人。

——刊一九八四年八月三十日《星島日報》副刊「七好文集」專欄。

❖ 證

一九七七年七月三十一日《大公報》頁十二：〈北京國際足球邀請賽結束　中國青年隊奪得冠軍　港隊決賽負於一比二名列亞軍　賽後舉行隆重閉幕式黃中致詞〉

北京國際足球邀請賽結束

中國青年隊奪得冠軍

港隊決賽負於一比二名列亞軍

賽後舉行隆重閉幕式黃中致詞

港隊中青打爛地戰

鄧鴻昌接應張家平妙傳開紀錄

中青隊越戰越勇連下兩城反超

中國足協今設宴招待各隊職球員

一九八四年

生命的奮進

真想知道我們一代是幸運還是不幸！看完「生命的奮進」，這個問題結在心頭，好久也解不了。

「生命的奮進」，是梁漱溟、牟宗三、唐君毅、徐復觀四位先生青少年時代奮進思索的紀錄。他們經歷了中華民族近世最艱苦的日子，也是最大變動階段：辛亥革命、五四運動、北伐、抗日、國共內戰……跟當年許多青年知識分子一般，都在驚濤駭浪中——各種文化政治思潮衝擊，國族求存關頭，努力尋求一條該走的大道。流離遷徙、戰火漫天、物質條件缺乏，一切困厄割不斷他們與國家文化的血脈，磨不掉他們慷慨奮發的心志，終於他們成就了大學問。

當然，還有無數與他們同時代的青年人，在不同的事業上顯出光芒，也有不少在求進過程中犧牲了，成就了大生命。一切行為，都在極艱辛的環境中展開和收效。回首那些經歷，好像國家一直沒有好好照顧他們，甚至該說一直在折騰他們，可是，他們從沒有為自己要求過些甚麼。生於憂患，是最嚴厲的磨練，能成就大事業大生命，就是磨練的結果。他們拿這些結果回報國家文化，真正做到「不問國家為我們做了甚麼，只問我們為國家做了甚麼」，這是何等光輝的生命！我們這一代，特別在香港成長的一代，儘管說生活在人家的管治下，社會制度不好，教育制度不完善，經濟也不盡如人意，但畢竟二三十年來，算是無災無難，偶有小風浪，比起上一代經歷的，實在不算甚麼一回事。我們生於安樂，不必奮進，也活得下去。再不是就在些小節上，找些折磨自己的機會，徒然自苦。

搖搖曳曳、迷糊纏繞完了小生命，我們幸運還是不幸？

*

年輕的時候，常常埋怨自己為甚麼不生於轟烈的抗日時代，敵我分明，執戈保衛國土，殺的是敵人，不是自己人，就是流血斷頭，總歸有個名堂，了結得十分暢快。但畢竟那個時代早已過去，身處的是敵我難分，複雜錯綜的社會，像在繭裡休眠最穩當，不必思索，沒有理想，人也生了鏽，生命如溫吞水，日子一天一天過。偶然尋思反省，也只有慨嘆苦悶失落的結論。多讀一點書，多接觸一些長者，加上走上工作崗位，自生活體驗裡，得到稍見明朗的路向，但依舊感到自己是那麼無能為力。

躲在「安樂窩」裡久了，人變得怠慢軟弱，也漸漸安於這種境況，有時甚至慶幸自己能這樣活著。長久的不思索不反省，沒有奮進的要求，人就喪失應付變動的能力，更休說甚麼完成大事業大生命了。這一切只因我們生活得太安樂，這真不知道是幸還是不幸。

細細尋索前輩艱難足跡，看看他們的生命如何奮進，發現他們都有些共同特點：在一個變動劇烈的時代，緊緊掌握自學的機會，不計較個人的寒苦生活，以情理交融的人生態度，超出自我投入人類的整體中，於是「在其生命存在時，時時處處積極表現一種犧牲生命的精神」。他們失敗徬徨的時候，仍能認真思索，發現問題，徹底更新。

他們有可倚靠的師友，吸納中西文化優良成分，整理出一條努力奮進的路向。

變動來臨了，我們這一代面對破繭的時候，也許難免慌張震慄，但願前輩奮進的足跡，領導我們向前邁進。

不必再問幸與不幸，盡有生之年，擔負我們該擔負的，作生命的奮進！

——分上、下兩篇刊一九八四年十月六及七日《星島日報》副刊「七好文集」專欄。

陽光

香港的秋天，很不錯，爽朗得叫人有想跳躍的感覺。郊外的天空顯得特別高特別藍，陽光耀目而溫和，我站在中文大學文化研究所外邊，等一位我尊敬的老人家來臨。

許多中學生在文物館的錦鯉池旁，大概正準備去看古物展覽，他們嘻嘻哈哈的談笑聲，帶來活潑生氣，使一向扳起面孔的文物館，有點不尋常的氣氛。我想：多等一會兒，他們就會看見那位中國著名的老作家了。

他們會認得他麼？會擁上前去請他簽名麼？會情不自禁告訴他讀了多少他的作品麼？興奮得回去逢人就說我今天遇見了中國的著名作家麼？……老人家說過他愛看見青年人，並且會對他們說：「我在你們身上看到這個城市美麗的未來，祝你們奮勇前進。」許多年輕人擁著一位白髮老作家，真是一幅美而感人的圖畫。……

就是過了那麼一會兒，不知道是他們早已看完古物，老師要帶他們走了，還是管理員認為他們太吵，要他們離開，一個個年輕的面孔消失了，錦鯉池旁迅速回復一貫的沉寂。

遠處，一群人小心攙扶一位老人家慢慢走過來，陽光下，他的白髮閃著一種令人敬慕的光華。如果，這時刻，四周是天真活潑的小孩子或者年輕人，真是一幅美而感人的圖畫。……

這是一個不大正式的座談會，參加者都很鄭重有禮的過去跟他握手，然後進入會議室裡。攝影機、錄音機，一切準備就緒，座談要開始了。

會議室的窗幔放下來，室內燈光柔和得近於幽冷，有人關心地說：「冷氣會不會冷了點？怕不怕？」我用心凝視著那頭令人敬慕的白髮，忽然懷念窗幔外邊的一天陽光。

——刊一九八四年十月二十五日《星島日報》副刊「七好文集」專欄。

證

❖ 一九八四年七月三日《大公報》頁三：〈巴金鄧蓮如等五人 獲中大授榮譽學位 巴金將於十八日來港出席儀式〉

❖ 一九八四年十月二十一日《大公報》頁四：〈昨與中大中文系師生座談 巴金談《家》與《紅夢樓》並再次闡釋「文學的最高境界是無技巧」之說〉。

另附圖：巴金與中大教職員合照，前排左五為巴金，右一為小思。

馬與舞之外

熒光屏上，舞小姐挽著大商家笑意盈盈，我彷彿以為那是四十年代上海百樂門舞廳的風光重現，一股難言意緒縈繞心頭。

也許，最初提出「馬照跑、舞照跳」的承諾的人，為的是安定人心，保持繁榮，實在一番好意，但演變下來，好像香港人只關心這兩件事。任何現代大都市，賽馬跳舞算是正常娛樂活動，犯不著大事宣傳，反正也不見得人人都以此為樂，我不迷信調查數字，不過，每個人不妨問問十個自己認識的朋友，有多少常進馬場入過舞廳，就自然明白這兩件事實在跟大部分人無關。

說說歷史吧！香港政府很早就在這塊殖民地上開設賽馬會，後來還變成御准的平民玩意。跳舞場所，正式的領取合法牌照做生意，也非今日始。再說到太平洋戰爭，香港落在日本人手裡，一九四一年十二月日軍入佔，一九四二年「安頓」下來第一件做的大型公共事務，就是重辦競馬大賽。

一九四二年十一月「當局為繁榮港九市面計」在九龍長沙灣道一帶及香港石塘咀區，設立「娛樂區」，鼓勵廣設導遊社和妓院。如此說來，這兩件事果然與香港人結下不解之緣。

以上的歷史例證，舉得很不恰當，殖民地政府和入侵的敵人對侵佔地不必負甚麼道義的責任，跑馬跳舞既可點綴娛樂昇平，又可麻醉人心，真是何樂而不為？且更是為之恐不力了。

我舉這些例子，就正要說明「不恰當」！香港從一個窮荒孤島，變成今天的繁盛都市，她養活了五六百萬人，五六百萬人也支持著她，其中必然有許多重要因素，絕不是靠跑馬跳舞而得來，相信許多人心裡明白。

*

或者，有人說「馬照跑舞照跳」只不過是「一切生活方式維持不變」的落實舉例而已，為的是叫人放心，並不代表全面政策，聽者不必過分小器與執著，最初許多人都以為如此，但這個例似乎愈來愈「放大」了，甚至大得叫有些不了解香港的人，以為這就是香港生活方式。

甚麼事情過了頭就是不對頭，一開始就不對頭，對甚麼人都不是好事。

開埠以來，的確有人跑馬跳舞，但更多的是埋頭苦幹，成就自己的事業同時也建設了香港。多少年來，在許多不利客觀條件下，掙扎求存，鬥志和幹勁是香港人無可奈何中養成的優點，麻木與欠缺遠大理想是缺點。只有殖民地政府才願意讓她永留缺點，因為這樣就會一切好辦。現在，重要的變動關頭，她要做的該是貢獻所具優點，為國家民族服務。可是，卻有人強調了她的缺點，這對香港實在不公平，對國家民族無好處。

生於斯長於斯，幾十年來，我看過她被日人凌辱、盟軍狂炸，我看住一幢幢大廈自頹垣敗壁中建成。我看過她如何度過擠提暴動潮，如何勉力重現繁榮。我明白她的優點缺點所來自。那是多麼艱難的歲月，終於一一給她熬過去了，總之，她的成長，一切都是得來不易。中山先生曾利用她作推翻滿清的革命基地，文化人也不只一次利用她作宣傳抗敵的橋頭堡，她總該有許多可肯定的地方。好容易盼得有朝一日重歸母懷，卻給人打扮得如只愛跑馬跳舞的紈袴子弟，這怎不叫人難過？香港，歷來都是人家糟蹋的對象，只為從來沒有人好好愛過她。許多人從她身上取得好處，還說她壞話。但願，這些惡運快過去，讓她做該做的事，得到該得的愛心。

——分上、下兩篇刊一九八四年十二月二十七及二十八日《星島日報》副刊「七好文集」專欄。

❖ 證

香島日報
中華民國卅一年六月十五日

競馬場昨情形熱鬧 夏季大馬票揭曉
頭獎零五六五五六號
獲軍票二萬二千餘元

大馬票獲獎號數

第一場

第二場

第三場

日華醫會將頒發會員執業許可證

總督部勸

香島日報
中華民國卅一年十一月二日

港九娛樂區 昨日開始營業
石塘花事將重現當年盛況
金陵廣州兩酒家先後復業

區外娛樂事業停散

石塘住宅早已遷出

白米糖油等配給順利
元朗處增派人員巡視

潮僑歸鄉會 增助貧僑旅費
並附友給米設招待站
第六批歸僑開始登記

深水埗當亦不遜色

❖ 一九四二年六月十五日《香島日報》頁四：〈競馬場昨情形熱鬧　夏季大馬票揭曉　頭獎零五六五五六號　獲軍票二萬二千餘元〉

❖ 一九四二年十一月二日《香島日報》頁四：〈港九娛樂區　昨日開始營業　石塘花事將重現當年盛況　金陵廣州兩酒家先後復業〉

一九八五年

彤雲箋

名滿天下的造紙師悶悶不樂。

手裡捏著那張桃紅色的小箋。

「浣花箋紙桃花色，好好題詞詠玉鈎。」這小幅箋紙是當得起這名望的。只是，他不滿意，這紅，太艷，太囂張。他心中有一種紅色，不是桃紅，是很透、很薄、很靜的那種紅。

那是，……一個黃昏，他帶著微醉，徘徊在百花潭畔，他正苦苦思索，一種很特別很特別的顏色。林中歸鳥顯得人思緒更亂。他抬起頭來，西天的霞光正滲進最薄的雲緣，又化入微藍天際。「就是這種顏色！」他的叫聲凝在百花潭。定一定神再看，顏色沒有了，只那麼一閃？同時，在他心中，泛起一個名字：彤雲箋。

已經造出了「冷金箋」、「衍波箋」、「苔箋」的他，很明白，這個決定很重要。黃昏天邊那極快消失的一種顏色，從來沒有人擁有過，他卻要把它永遠注入一張小箋裡。

臘冬的大寒天，他到深山去揀取上好的楮樹和檀木，到百花潭去打上清的水。逐步做著浸濕、切碎、洗滌、浸灰水的基本工序。舂搗，他用了九十九天時間，蒸煮，他用了九十九天。踏著石碓，好像走了九萬九千里路，守著爐灶，柴烟燻得他雙目迷糊。他不分晝夜，一下一下，細意攪動池裡的紙漿。這一切，對他來說，已經不是困難。到了最重要的時刻：他要在紙漿裡攙入色素。用過紅花、蘇木，也用過胭脂，又加過礬潢雲母粉，煎熬了九十九天，每次一錢一分的不同分量，他都很小心記錄了。可是，一次又一次，用紙模抄出來的紙，總不是那黃昏他看見的顏色。……

沒有人知道他守在造紙房裡多少時候，也許，十年、九十年。人們早已忘記曾有過這麼一個名滿天下的造紙師了。

衰老失神的造紙師，仍守在造紙房裡，重複又重複做著每一個工序。每一次，凝視紙漿的顏色——彷彿看見那黃昏天邊顏色時，他臉上才露出絲絲笑意。可是，紙一抄出來，笑意就消失了。

他很疲倦，是前所未有的疲倦，面對一池紙漿。「我所求不多，就只不過那黃昏一瞬間天邊的顏色罷了！多少年了？……他從沒有計算過日子，如今，似乎該想想，……那種顏色，那種顏色，……忽然，胸口一陣腥沸向上湧，他來不及側身，一大口血就吐在紙漿池裡。

我撫著這張紅得很透、很薄、很靜的小箋——就叫做彤雲箋。你不要問我，它的來由，而我，正決定，把它藏在最秘密的珍寶庫裡。

一九八五年一月十八日

——刊一九八五年三月《文藝》雜誌13期，作者署名小思。

一九八五年

花匠的道理

春意已濃，校園又是一片叫大學生驚惶的花海，但，奇怪，只有文物館外的一叢矮枝，卻仍然枯黑，看來與今春了無關係。正納罕是去冬太冷，冷壞了枝幹，還是施肥不足，就看見花匠用鋤頭一下一下把泥土鬆開，又把一棵棵枯枝連根拔起，再扔給旁邊助手，紮起來像扎營養不良的柴。

為甚麼要連根拔起？難道沒有別的解救方法嗎？我站在旁邊看，很不以為然。一定是花匠偷懶，沒耐心多做點功夫，乾脆拔了病枝再植新枝。但再看看，花匠每拔起一棵枯枝，就在泥土上撥撥挑挑，很快找到兩三塊像大拇指般大的東西，粉紅色帶點褐斑，軟柔柔捲曲著，花匠找到就扔到一個塑膠盆裡，原來早已滿滿一盆了。我湊近去一看，竟滿盆是蟲——肥大柔軟，粉紅色帶褐斑的蟲，還在盆裡蠕動。

我的毛孔一鬆，卻又沒頭沒腦問了一聲：「是蟲嗎？」花匠抬起頭來，瞟我一眼，「是，是蟲。」「哦！難怪枝都枯了，你怎知道土裡有蟲的？」大概這是很笨的問題，今回，花匠連頭也沒抬起來：「枝枯就是根死的緣故，根給蟲吃了，蟲必然在泥裡。」「枝已經不能救了嗎？去了蟲，不拔根，成嗎？」還是個笨問題，今回，花匠卻站直了身子，雙手按著鋤柄，也不看我，對著未拔完的枯枝，自言自語地說：「根都死了，枝還能活下去嗎？沒得救，只好重新翻土下藥，絕了蟲，再插新枝。不這樣做，蟲會繁殖，連累別枝的根也給吃了。」說完又低下頭去繼續工作。沒有別的解救辦法，花匠的道理就是這麼簡單！

我這個外行人，還有甚麼疑問？還有甚麼不以為然的？根死的枝必須拔去，有蟲的土必須重翻，若要花繁葉茂必須再植新枝，愛惜枯枝不是辦法！這就是花匠的道理。

——刊一九八五年三月二十七日《星島日報》副刊「七好文集」專欄。

一九八五年

徐小鳳

「你竟然有閒去聽徐小鳳演唱？」朋友驚訝得瞪眼說，「竟然」兩個字又說得特別重。如果，他看過十六年前「中國學生周報」一則預告，就一定不會如此驚奇了。

十六年了，在尖沙咀一所地窖式餐廳——毫不浪漫卻叫拉丁屋裡面，我聽初出道的徐小鳳。夾在許多老早成了名的歌者當中，她獨留給我極深刻的印象。不是為了她有「小白光」的稱號，不是為她其實不太像白光卻更含韻味的歌聲，而是她那認真敬業的表現。

那種臨時改作歌廳的飲食店，燈光音響都差得很，收費又不貴，一個晚上，多個成名的未成名的歌者輪流演唱，聽眾也不見得專心，一切顯得雜亂朦矓。許多歌者總帶著「為了謀生」的神色，在台上匆匆唱完該唱的歌，好像根本與歌毫無關係。只有徐小鳳，她總好好檢查一下音響效果，弄好咪高峰，然後全心全意唱她要唱的歌。她沒有用風塵語言去討好聽眾，她只把自己的感情傾注入歌曲裡——雖然那時候，她還沒有一首屬於她自己的歌。於是，聽眾就聽到一首首有生命的歌了。

十六年後，徐小鳳已經成了大名，在燈光音響極完善的大體育館裡，擁有以萬計的專心觀眾，她在台上全心全意唱著無數屬於她自己的名歌。那天晚上，她的聲音有些枯澀，一段又一段過度的自嘲式過場言語，給人的感覺是：由蒼涼漸變為殘忍，如果編導者以為需要這些語言來討觀眾歡笑或同情，那未免低估了徐小鳳歌聲的吸力和觀眾的善心價格。聽說有一夜徐小鳳聲嘶淚落，又當下許諾為那場觀眾重唱一場，我相信那不是宣傳技倆，而可看作殘忍的成果與敬業者的精神表現。十六年前，在「中國學生周報」，我許諾寫一寫徐小鳳，如今，我終於寫了。逆流順流，是你的他日終會有！祝福你，徐小鳳！

——刊一九八五年三月二十九日《星島日報》副刊「七好文集」專欄。

❖ **證**

一九六九年九月十九日《中國學生周報》896 期第十一版刊出小思執筆〈麥青．徐小鳳．高小紅三論〉的預告。唯此三論未能如期刊出，參一九六九年十月三日《中國學生周報》898 期〈雛鳳鳴劇團．小傻瓜們．幾筆速寫〉一文的編者按語〈為甚麼會有這些速寫〉。

詩會歸來

星期天下午，暫且推開如山的工作，去參加詩人王辛笛的詩朗誦會。

看現代詩並不多，愛看就是愛看，也不懂得許多詩理，最早看的是徐志摩，第二就是王辛笛，那已經是六十年代中了。坊間沒有他的詩集，蓬草不知從哪裡弄來一本「手掌集」手抄本，我們就一首一首的唸，也抄給學生唸。但其中有一句，卻想來想去，想不出甚麼意思。那是「挽歌」中的：「前程是『戀水』」。甚麼是「戀水」呢？有一天，我們正在說這問題，唸外國文學的吳靄儀剛巧也在，她看了看說：「該是抄錯了罷？是不是『忘水』或是『忘川』？」她這樣一說，再仔細推想一下，真該是「忘水」，那就通了。可是，沒有原本可以稽查，只好存疑了。直到好多年後，看到了原本，果然是「忘水」，疑團才解開。這是我們讀王辛笛詩的一段小插曲。

詩人在詩朗誦會裡也說了幾段插曲，包括女讀者為免破壞心中詩人形象，拒絕與詩人見面的故事，也包括座中有人曾用詩人的作品，打動了一個漂亮女孩子的心，終於結成美眷的故事，我們聽得很開心。當然，還有詩人用沙啞的聲音詮釋自己少年時代，我們熟悉的詩。想像詩人怎樣擷取意象，如何琢磨字句，一首首曾令我們醉倒的詩，原來是這樣寫成的，我們聽得很開心。當然，還有詩人如今的詩——我們不熟悉的詩，——雖然，它說到我們最熟悉的地方——香港，雖然，詩人是特地為香港而寫的。但，不知道，是詩人太坦率了，還是我已過了為詩醉倒的年齡，竟然，一句也記不住。

中場休息的時候，我就退席了。再見，平安地，再見，年老的詩人，「再見」，就是祝福的意思。

——刊一九八五年五月二十二日《星島日報》副刊「七好文集」專欄。

別開倒車

文字檢查，是民主自由社會的倒車。

爭取出版自由，爭取取消報刊檢查制度，香港，走過一條漫長而艱辛的道路，真是得來不易。且讓我說一段歷史：英國奉行言論、出版自由，對於殖民地的出版法例也採差不多方法。一九一四年訂定的出版法例相當疏略，例如第十五條就只是：「防範印刷淫穢書畫兼別項文字。」一九二二年，為了應付香港海員大罷工事件，實施華文報紙檢查制度。一九三六年八月，華人代表羅文錦律師在香港定例局提出「取消檢查制度」動議，再由英人布力架和議，但遭否決。經各華文報紙力爭，英文報紙大力支持下，政府最後只允許改善檢查辦法，但「檢查法例未便取消」。所謂改善，也只不過簡化送檢手續而已。中國抗日期間，報刊以損害英國友邦友誼，而遭「全文被檢」開了天窗的情況，屢見不鮮。一九三八年，華民政務司不時「招待」出版人到辦公室去說明出版禁忌。一九三九年大力杜絕淫穢文字，處罰了許多小報。一九四一年開始放寬檢查制度。到第二次世界大戰後，香港才正式取消了華文報刊檢查制度。這是一大進步，但已經經歷了二十多年的困厄了。

為了應一時之急而設立的「華文報紙檢查制度」，到了一九三六年，已演變成檢查員隨意撿去所謂不良刊物上文字的局面，一九三六年八月二十七日的英文「南華早報」社論，就有這樣一段話：「檢查制度對於不良刊物非能完全禁止，受其害最烈者僅為有永久基礎之報紙。」這就是歷史教訓。目前社會更複雜，對付不良刊物的法律要細要準要快，審裁處要設置，但必須訂立法例，確保它只能憑法做判斷，只針對淫穢文字圖片，而不是針對其他刊物。

我們必須防範為了應付一小撮不良分子，應一時之急而開倒車！

——刊一九八五年六月八日《星島日報》副刊「七好文集」專欄。

證

❖ 一九三六年八月二十七日《天光報》頁三：〈定例局昨日會議 撤銷華報檢查案 羅文錦侃侃據理力爭布力架仗義相助 曹善允周俊年均表示反對餘亦不同意 二比十四慘遭否決羅曹二人爭論甚烈〉，內文報道：「羅氏請撤銷檢查之意見、乃因港府施行檢查之故、實由一九二五年本港陷入一危險時期、為維持治安起見、不得不嚴禁刊載含有煽動性之文字、故制定法例頒行新聞檢查制度、迄今已有十一年、當日風潮早告平息、而新聞檢查仍未撤銷、實有背開放言論之文明憲法之旨、故提出此議案、由布力架仗義和議、謂英國各屬土均已享有言論自由權、本港之西報亦已言論自由、不受限制、何獨華報尚施行檢查、此舉似欠公允。」

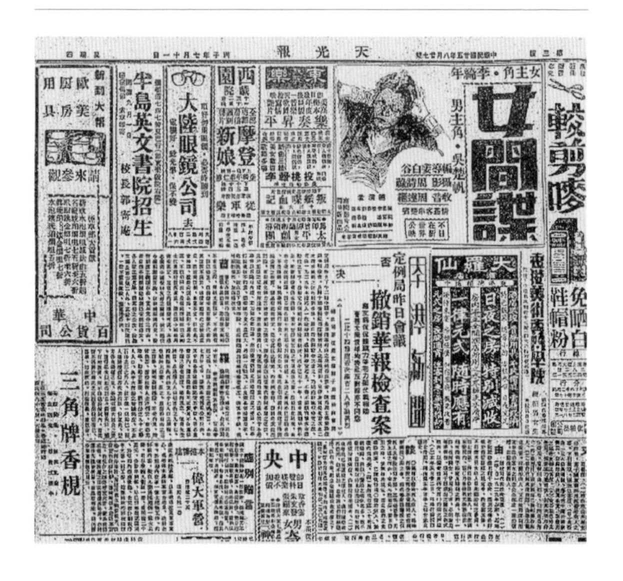
天光報

定例局昨日會議

撤銷華報檢查案

不是紀念一個人那麼簡單

五年前，我曾經想寫一篇文章，記錄下那年炎夏，到「上海市革命烈士陵園」祭豐子愷先生的感受：一個自己仰慕那麼久的老人家，如今，就藏在距離我不及一呎的骨灰盒內。在極度靜默中，我只聽見梢頭吱吱的蟬鳴，滿懷遲來的悵惘。但回來後，一直沒有把這件事、這種感覺寫出來，因為我並不喜歡這種感覺，更不想用這種感情來追念豐先生。

豐先生逝世十年了，本來，五年十年，沒有甚麼分別，反正，世上就是從此失去了豐先生，但我們必須紀念，不是紀念一個人、一個畫家、一個作家那麼簡單。

十年來，我已經不再研究豐子愷了——把自己仰慕的人作研究對象，其實是萬分煞風景的事情。可是，入世愈深，愈覺豐先生對人對事的真情，實在可貴。有人批評豐先生的文章不夠社會性，也許，他們說得對，只因他們看不出更高的一個層次，就是人間味。甚麼是人間味？那並不玄妙，只不過是用真情來對待觀照人世間所得的品味。話雖說「只不過」，實踐起來，就難得很。近世，人人推崇理、講求物，誰料唯物唯理過了頭，人人各自有個自以為唯一正確的理，失卻人人共通的情，結果，變成一隻隻刺蝟，孤獨又傷人。沒有情的平衡，一切變得冷漠機械，唯理變成唯利，以利來觀照人間，還有甚麼人情味可說？稍肯用上真情的人，就給評為幼稚、單純、傻瓜。人，變得尖刻、練達、世故，是為了活下去，而不是活得真切，這畢竟是人類的悲哀。有人會反駁說：面對罪惡、不平的世界，必須尖刻練達。但可惜的是：一旦習慣尖刻練達，就是面對善良公正，都忘卻了溫厚單純。正因如此，我們更覺不受污染的真情，是何等的寶貴。

假如，有人認為：一個人、一個畫家、一個作家不那麼重要，不值得我們追念，那麼，就讓我們誠心追念一種已逝去的溫厚情懷，一種似乎被現代人視為落伍的人間味罷！

一九八五年七月二十二日

——刊一九八五年九月《香港文學》9期，作者署名明川。

❖ **證**

《香港文學》附刊照片：上海市革命烈士陵園內豐子愷骨灰盒。

這是一件吃力的事

中間分界、呈M字樣的髮型、兩隻兜風耳、一雙永遠擺成入字形的腳，就是何老大特徵。這個漫畫人物，曾經是許多人熟悉的，他也是我那沒有美麗童話的童年時代，最愛看的漫畫主角，但，八十年代，還有多少人記得或知道他呢？

徐志宇先生對我說，邵逸夫堂要與香港漫畫研究社合辦一個「李凡夫漫畫作品回顧展」，我實在感到驚訝，覺得他們在幹一件吃力不討好的事。

先說吃力。李凡夫的漫畫，由三十年代畫到六十年代，由廣州畫到香港，就是說把展品內容限於五十年代，也距今三十年了，三十年前的紙上資料已經不好找，何況一向不大受人重視的漫畫？要展會內容充實，真是談何容易。再說不討好。漫畫，在許多人心目中，不能算是藝術，即是說難登大雅之堂，「通俗」的「平凡」的東西，放在大堂上展覽，會不會惹來一些人的不滿，認為有降格之嫌？此外，校園內走動的，多是年輕人，三十年前的漫畫和作者，對他們來說，無疑是陌生脫節的，還會有吸引力嗎？如果單靠中年讀者來懷舊，那難免門庭冷落的危機。這種想法，跟徐先生和香港漫畫研究社的負責人談過後，就有了修正，那是：吃力但不一定不討好，而吃力，也有值得做的意義。

儘管有些漫畫家不同意：漫畫作用在諷刺時弊，但自清末民初以來，漫畫在許多人心目中，已經成為反映社會、針砭時弊的有力工具。三、四十年代，這種論調就更加強調了。李凡夫在三十年代中葉，在香港參加「中華全國漫畫作家協會香港分會」的工作，利用漫畫作宣傳抗日的武器。到四、五十年代，他在廣州和香港，他筆下的人物，更與小市民生活息息相關，每天在報紙一角，透露社會的悲喜訊息。雖然仍有人認為李凡夫的「何老大」未能做到批判市民生活諸般現象，但也無法不承認他有親近市民的優點（注一）。正因這樣，利用漫畫來反映五十年代香港社會某些生活面貌，李凡夫的作品絕對符合需要。現在面臨的應是資料問題，事隔三十年，還有人藏存他的作品單行本嗎？記憶裡，他在報刊上刊出的連環漫畫，後來都出過單行本，是商人看準市道的結果，由於要賺錢，都用粗報紙草草印成，薄薄小冊，封面也不講究。這類印刷品，除非特別愛好李凡夫作品的讀者才會收藏，但人海茫茫，哪裡去尋這種有心人？單行本不易找，只好從原刊的報紙下手，幸而當年他在香港刊畫的報紙尚在，趁這機會，香港漫畫研究社的朋友，花點功夫，把他的作品全面找出來，既可供應這一次展出之用，又可對李凡夫作一深入研究，作為填補華南地區（特別是香港部分）漫畫史空白的第一步（注二）。

憑著地利，加上研究者的熱誠，必有成果，這件吃力工作，還是值得做的。至於擔心展品內容與現在生活脫節，引不起青年一輩的興趣，那也可從另一角度去想想。四、五十年代的香港，較低下階層的小市民，生活情況、思想形態，到目前很少人做過甚麼紀錄和反映。三十年來，香港社會急劇變化，經濟也發展了，新一代香港人自然沒法子了解「中間房、帆布床、油燈、長期失業」的小市民生活，如果，能利用一次展覽，讓幸福的一代看看：「香港，是從一條艱辛困厄的路走過來的」，也未嘗不是一個可行的辦法。他們不從這角度看，或對「過去」沒興趣，那是他們的責任了。「通俗」，也有值得細看和研究的地方，相信邵逸夫堂的負責人就有這種信念。吃力不一定討好的事，仍有人願意幹，這世界還是很可愛的！

一九八五年十一月十六日

注一：施仁「談何老大系連環漫畫——由華南報紙的連環畫說起」，刊一九四九年四月二十日「華僑日報」，「漫畫雙周刊」一〇六期。

注二：畢克官「香港漫畫史上的第一個高潮」（刊一九八五年八月「廣角鏡」一五五期）只能算是大綱式的敍述。

——刊一九八五年十二月香港中文大學主辦《李凡夫漫畫作品回顧展》特輯，作者署名盧瑋鑾。

參

❖ 母親嚴禁我看當時十分流行的「公仔書」——在街頭擺小攤出租的連環圖，據說小孩子看得入迷，會離家出走，上山學法去了，卻不曾反對我看何老大，但也不鼓勵。……到現在，我還清楚記得，何老大初到香港，為免給人看輕，用了很少錢到故衣店去買了一套西裝，從此，他就穿著那套「單吊西」招搖了。當時，我不知道甚麼是故衣店，就去問父親。父親倒很熱心，帶我到南昌街和皇后大道西去，逛了好幾回故衣店。從此，我就知道有人要買舊衣服穿的，明白一點生活圈以外的事情。

——小思〈何老大〉，見一九八五年十一月二十五日《星島日報》副刊「七好文集」專欄。

證

❖ 一九八五年十二月二日《華僑日報》第三十頁：〈中大邵逸夫堂舉辦　李凡夫漫畫回顧展　今日起至十日連展九天〉，內文報道：「李先生為五、六十年代香港著名漫畫家，筆下的『何老大』、『大官』、『肥陳』是當時街知巷聞的人物，此一展覽是李凡夫先生去世十七年後第一次再被公開論述，亦是香港首次有系統的本港漫畫家研究及展覽。」

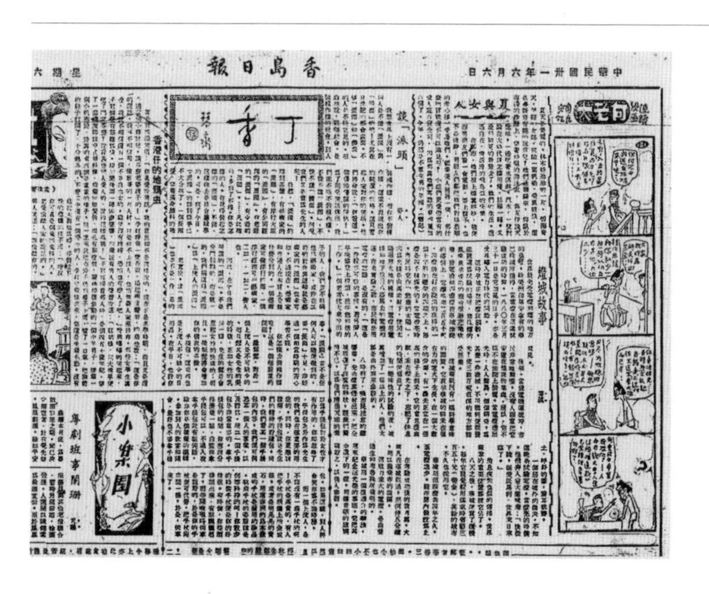
中華民國卅一年六月六日　香島日報　星期六

丁香

夏與女人

小樂園

粵劇班事閒聊

❖ 一九四二年六月六日刊於《香島日報》的何老大漫畫。

送廖慶齊先生

透過濃濁光害看見天空一兩顆星星，我就會想起廖慶齊先生；路過或向人提起香港太空館，我就會想起廖慶齊先生。

童年就愛看星，只是抬起頭來，胡亂看看和指指點點的那一種愛看。到了大學二年級，第一次有人告訴我北斗獵戶的位置，我才驚訝廣大天空中，其實蘊含許多條理。那年暑假，在台北，無意中闖進了古舊的天象館，首次在人造星空中，迷醉了。回來對朋友說起，他們都不明白我在說甚麼，因為香港沒有天象館，人造星空自然在他們經驗以外，從那時起，我一直渴望香港也有一座天象館。繁忙的工作，狹隘的生活，大廈遮空，光害嚴重等等原因，有一段很長時期，沒有看星，甚至幾乎忘記了頭頂上還有星空。直到在校外課程上廖慶齊先生的課，我才真正懂得看星原來是一套大學問，而誰才是愛看星的人。

聽過廖慶齊先生演講的人，都會同意，廖先生不是在講一套硬梆梆的天文學問，而是在訴說亙古以來就存在的大生命，如何流動變化，叫聽者從他豐富感情中，接觸浩闊漫漫的宇宙，反觀人類自身的處境。我想：除了充足的天文學識，擅於運用中國古典詩詞來印證之外，廖先生本身對星空的熱愛——那種叫人相信是刻骨銘心的熱愛，最能令聽者動心，聽罷無法不去看看星空，不去讀一讀星圖。憑著這種引力，香港的觀天者日見多起來，在同好的推動下，組織健全了，活動也變得專門和全面。在寒冷中宵，郊野曠地上，一群人守在望遠鏡旁，注視星斗運移，滿心好奇與驚詫，探求宇宙的奧妙。你去參加了，就會明白「為誰風露立中宵」是怎麼樣的情懷，再去問問他們為甚麼會來，就會相信廖先生推動之功。

畢竟，城市人不是人人能常有觀天機會，起碼我自己就沒有常到郊外立中宵的能耐，於是，我又開始想念人造星空了。一九七四年，消息傳來，政府有意建一座太空館，已經聘得廖慶齊先生當建館顧問，我們快樂極了。聽他說怎樣設計、怎樣訂購最新型的賽斯鏡頭的放映機，怎樣組織人手製作節目、選用電子控制的播音儀器，看他興奮又投入的神情，簡直像父母提起自己的孩子似的，我們不自覺也沾染了「太空館是我們的孩子」的喜樂。

不知道多少香港人沒到過太空館，我倒常常去，也鼓動別人去。儘管朋友笑我愛在裡面「逃避現實」，但從裡面得到的喜樂和啟示，實在太多，提起太空館，我是由衷的感謝它的催生者。

教中學的時候，面對許多認為平凡生活毫無興趣，又覺得刻板工作沒有出息的年輕人，我總愛提起廖慶齊先生，他是一個典型——培養自己的興趣，使它成為生命一部分、成為事業。如果，廖先生不那樣熱愛觀天，可能到退休的今天，他仍是個一般人認為平平凡凡的中文科教師。可是，他不單是一個好教師，在公餘仍不斷地堅持他的觀天興趣，還把這興趣帶給學生。幾十年下來，他的業餘興趣不但使他得到快樂，更使他變成了專家，再進一步把這種益智樂趣帶給全港市民。怎樣把業餘興趣培養出來，使平凡生活顯得有意義，廖先生可以當我們的榜樣。現在，廖先生退休了，在遙遠加州的聖荷西，繼續他的觀天事業。也許，在胸懷宇宙之大的廖先生心中，加州和香港，實在沒有甚麼距離感，但畢竟，他要離開香港了，我——作為一個得他啟導的學生，在這裡向他致最深的謝意，謝謝他教曉我：宇宙浩大，人無所爭的道理。

——分上、下兩篇刊一九八六年一月十六及十七日《星島日報》副刊「七好文集」專欄。

參

❖ 仰望長空，我知道在極度遙遠的太陽系，有一顆我熟悉、卻無緣目見的小行星——編號六七四三。……從前編號六七四三，現在有一個我熟悉的名字：廖慶齊星。由於他在世界天文界很有地位，拍攝了許多高質素的星球照片，發現了許多星星，因此，日本兩位天文學家聯名向國際天文學聯合會推舉，把他們發現的小行星六七四三命名為廖慶齊星。我稱他老師，是因我連續修了四五年他在港大校外開的天文學課程，我永遠忘不了他給我的啟發。

——小思〈廖慶齊星〉，見一九九八年六月二十日《星島日報》副刊「七好文集」專欄。

證

❖ 二〇〇五年十月九日《明報》港聞版：〈太空館成立二十五年　廖慶齊展心路歷程〉，內文報道：「太空館創館總館長廖慶齊過去數十年來，總共投資數百萬元在天文攝影上，拍攝的相片估計有數萬幅，為紀念太空館成立二十五年，太空館特別舉行『情繫穹蒼——廖慶齊先生的星路歷程』展覽，展出二十八幅廖慶齊的天文攝影作品，除了見證本地天文攝影的成就，也有天文現象的照片為外國所沒有，受到海外天文學重視。」

❖ 二〇一四年五月十一日《明報》港聞版：〈追思前太空館長廖慶齊　揭為觀星退休赴美〉，內文報道：「上月逝世的太空館創館總館長廖慶齊曾在皇仁書院任教，其間創立全港首個中學天文學會。皇仁舊生會昨舉辦廖慶齊追思會，一百五十名歷代校友、學生出席，包括平機會主席兼骨科專科醫生周一嶽。周憶述自己非天文學會成員，在校時與廖交流不多，但畢業後卻在病房中偶遇他，時任館長的廖慶齊曾透露：『香港的天空滿足不到我。』原因是香港上空滿布了污染、燈光和雲，天色再黑也無法清楚看見星星，他毅然決定提早退休，遠走美國加州望天觀星。」

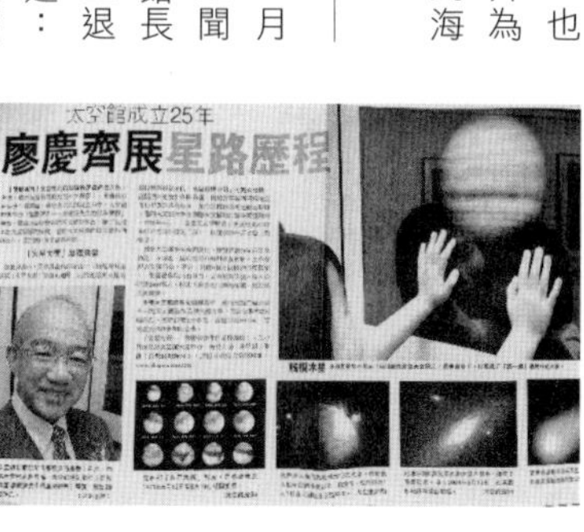
太空館成立25年
廖慶齊展星路歷程

一九八六年

爝火

我很喜歡「爝火」這個詞，也用過作文章的題目。第一次接觸這兩個字，大概是唸小學三年級還是四年級的時候，中文課本裡有一篇文章題目就叫做「爝火」。內容很簡單：作者乘小船旅行，在黑夜裡看見前面有爝火，以為很快就到住宿的地方了，怎料船夫卻潑他冷水說：還遠呢！果然，原來真的還很遠。作者從中悟出道理來：遠行人在陰暗河流中漂流，雖然爝火的遠近迷惑了他，他還會因看見了爝火，努力划槳，因為在前面畢竟有著希望。相信是老師講得好，給我的印象很深刻，以後就記住了，但卻記不起是誰的作品——應該說不知道是誰的作品。

最近，買到一本薄薄小冊子，「蘇俄名家散文選」，裡面有一篇小品叫「燈光」的，內容就跟我小時候讀過的「爝火」完全一樣，我才知道這原來是蘇俄作家柯羅連科（一八五三年——一九二一年）的作品。如今細細再讀一遍，有著甘美的回憶。題目還是「爝火」比「燈光」好，譯筆怎樣，已無從比較，但很好奇，當年讀的是誰人所譯？是老師特意選給我們唸還是學校課程規定？我記得清楚，教我們中文的是個很年輕的男教師，是他教我們在班裡設立小圖書館，是他帶我去東方書局買「伊索寓言」、「中華文選」，我們都很喜歡他。後來，在學期中途，他走了，不清不楚的傳聞，說他是共產黨，回國去服務。

小學生弄不明白甚麼是共產黨，只知道失去一個喜歡的老師，很不開心。現在想來，五十年代初期，選蘇俄作品給小學生讀的老師，大概也有點用心良苦。

一篇好文章，能教小學生唸過後，一輩子忘不了，那真是一件好事。我慶幸，小時候，讀過「爝火」！

——刊一九八六年四月十七日《星島日報》副刊「七好文集」專欄。

一九八六年

璧還

在這時刻，我不想再向您隱瞞我的難過……也許，同時是快樂。如果說緣分就算是緣分罷，六年前，您忽然來到我身邊，從此，我就過著既快樂又憂鬱的日子。

我把您從千里外帶到香港來，珍藏在最好的地方，逢人便訴說您的來歷，在人們讚歎和欽羨的眼神中，我知道自己愈來愈沉醉在幸福與驕傲裡。但，幾乎在同時，我又明白，我不該擁有您，這裡也不是您永久安居之所，在遙遠的地方，是您的所屬。酸澀的感覺就會在這剎那間從心中冒起，一直升到腦裡。有時，我會用力逼使自己深信：來去隨緣，很瀟灑一切不在乎，反正，我從來沒擁有過心愛的東西。

等到有一天，我知道您本來所屬的地方，已經準備好了，璧還，是我最應該做的事。於是，我決定親自把您帶回去。那裡，有您應享有的光彩，人們看到您的時候，就一定會說：呀！這是多麼恰當的歸宿！快樂，我不該快樂麼？但原來，快樂竟孕藏苦楚，咬破裹著黃蓮素的糖衣，沒有激情，沒有悲涼，我嘗試沉默咽下一口一口這種滋味。

璧還，是一條艱辛的路，我卻選擇了——或許，不是我的選擇，對於您，我從來沒作過甚麼主。您來您去，恍似命中注定，我只能這樣開解自己。

送您！我會永遠記住您在我身邊的日子！

（小誌：一九八〇年八月豐子愷夫人送給我陪伴豐先生四十多年的小酒杯，從此伴我六年，如今，石門灣緣緣堂重建完成，我當物歸原主，璧還前夕，情懷歷亂，草成此文，不計較文字修飾了。）

——刊一九八六年五月十六日《星島日報》副刊「七好文集」專欄。

證

❖ 作者璧還的豐先生小酒杯，現存石門灣緣緣堂展覽室（二〇一八年十一月朱彥容攝）。

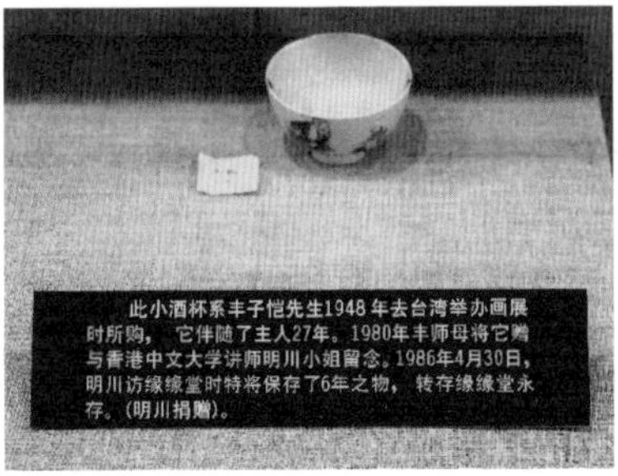

一九八六年

石門灣簡寫

很早，我就知道：中國大運河經過石門灣，又在那裡轉一個大灣。雇一隻朱漆欄杆玻璃窗的客船，從杭州去，一天半就可經過無數水鄉到達這個江南無名小鎮。可是，我沒有這樣做，因為無法找到朱漆欄杆玻璃窗客船，卻找來一輛「超級豪華皇冠」，就這樣，我直駛石門灣。

公路上飛馳的「皇冠」，沒有甚麼詩趣，既不必帶被褥枕頭，也無暫泊渡頭上岸去燙兩碗花雕的悠閒。不過兩個小時，司機已隱約認為該到石門灣了。「認為」、「隱約」，是司機從沒去過，又沒有路標指示，單憑某種直覺的結果。他停了車，「喂！石門灣怎麼走？」問了兩次路，果然駛到小鎮的熱鬧街道上。熱鬧街道只得千米長，「皇冠」駛進去，幾乎佔了整塊路面，路人側著身子，攤販移挪了小攤，還忙不迭抬起頭來看看，我抱歉，讓現代化的怪物闖進小鎮長街，打亂了本來悠悠然的生活節奏。沒有門牌地址，去找一座小宅，是沒有過的經驗，探頭出去問一個年輕人：「緣緣堂在哪裡？」他不帶甚麼詫異神色，往前面指指：「過了橋，拐個彎就到。」「皇冠」過不了橋——接近兩岸處都有幾級梯階的小石橋，典型江南水鄉的建築物，只宜行人走過去。

我站在小石板橋上，下面一灣水，平平靜靜，經過幾戶人家，就轉了彎，這是石門灣了！我忘記看水色是不是瑩潤，只記得在快當午的日頭下，水沒有反照，寂寂然有如一條深巷。正因這樣，河岸上，斗大朱紅的兩個大字：「鳴號」，就特別耀眼，我正納罕，鳴甚麼號？叭的一聲，一艘小火輪，從河灣處轉出來，很快從橋下穿過，揚起一泓粼粼波紋。這就是今天的石門灣，一個有生活，但平靜悠然的小鎮。

——刊一九八六年八月十四日《星島日報》副刊「七好文集」專欄。

一九八六年

一對木門

到了石門灣，當然是為了去緣緣堂，但我現在寫緣緣堂，只寫一對燒焦了的木門，請不要責怪我寫得這樣粗疏！

要介紹緣緣堂，也許該由當年豐子愷先生如何設計建造講起，一直講到他一家大小怎樣在裡面幸福地過日子，後來又怎樣毀於日本人炮火之下，甚至該說說它重生的經過。就是不愛說歷史，也得把我看見的緣緣堂新貌，一步一筆的描繪一下，但，對不起，我只能寫那對燒焦了的木門。

堂前大天井側一叢綠了的芭蕉，真是熟悉得很，多少畫面中現過身？可是，與它遙遙相對的一對木門，才是叫人印象深刻。

兩扇對開的大木門，當年該是選用十條精良木方構成。日本鬼子炸彈一扔，緣緣堂在烈火中毀掉，卻剩下煙囱一個矗立瓦礫場中，還有這對木門，推想必是火勢弱了的時候才倒下，向火的一面，焦得像火炭，用手去撫摸，卻仍有很堅實的木質感。

木方之間，焦成長短不一的裂縫，離遠看，很有現代雕塑的味道。

這對木門，是緣緣堂唯一的舊物，是歷史的見證，它能留存至今，也是一宗異數。當年沒有隨豐家逃難的豐先生堂兄，在殘燼頹瓦中，拾回這對焦門，為緣緣堂保存一點血脈，又經歷了四十多年風風雨雨，依然沒有失掉，直到重建緣緣堂，才讓它重作眉目，這不是異數是甚麼？幸而有了這對木門，新建起來的豐先生故居，總算不失歷史感和親切感。豐先生喜說緣，這對木門能在四十七年後，欣及舊棲，也正是緣。

在冥冥中，有了契合，緣緣，正是這個意思！

——刊一九八六年八月二十二日《星島日報》副刊「七好文集」專欄。

 **證**

石門灣緣緣堂「欣及舊棲」門額和唯一舊物：給戰火燒焦的木門。（二〇一八年十一月朱彥容攝）

交代

一件心願總算完成，現在必須向關心「中國學生周報」的朋友作個交代。

儘管還有許多人不完全同意，但研究五、六十年代香港文學，或延至七十年代的香港文藝趨向，都不能不提「中國學生周報」，加上它存在時間較長，可看見風格、變化，有利研究。所以，一直覺得一套完整的周報，足以反映五、六十年代右翼或無黨派本地青年文藝成長的面貌。三年前，得到友聯出版社負責人林悅恆先生的支持，送出周報的合訂本。經中文大學中文系同學張煥聘、李慧如、張雪儀、關艷霞、黃蕙瑜整理後，分出了複本及完整本，我再與香港大學馮平山圖書館及孔安道圖書館的黎樹添先生、楊國雄先生商議，請他們把周報製成顯微膠卷以充館藏。把兩圖書館藏本再加友聯捐出本，還有欠缺的，又再得也斯先生、劉健威先生、陳進權先生的幫助，添補了缺本。最後，仍缺一九六七年七月至十二月，即七八一期到八〇六期。這半年的周報，為甚麼友聯和馮平山圖書館都沒藏，真是一個謎。

現在，香港大學圖書館及中文大學崇基學院綜合基本教育資料中心各有一套顯微膠卷，而我又把複本分別送給浸會學院及嶺南學院的圖書館。

經過三年的收集整理工作，及許多熱心者的幫助，較完整的「中國學生周報」終能向研究者公開，由此也可知道研究香港文學，蒐集近期資料也並不容易。我希望更多熱心人，支持這項工作，繼續把「青年樂園」、「青年文友」等文藝刊物整理出來，則五、六十年代青年文藝發展就可見全貌了。

資料齊備，才可以著手寫史，也可免卻許多單憑個人記憶、感情帶來的錯誤，更可減少不負責任的「專家」們製造的混亂。這已不是意氣之爭、政治觀點之爭的時候了。

——刊一九八六年十一月十七日《星島口報》副刊「七好文集」專欄。

參

❖ 《中國學生周報》已原版上網，見香港中文大學圖書館香港文學資料庫網站：http://hklitpub.lib.cuhk.edu.hk/journals/zgxszb/

請原諒我

◇任《八方》文藝叢刊編輯
◇在《星島日報》撰「香港文學散步」專欄

今天，我接到一封美國寄來的長信，一個離開香港十多年的男學生寫給我的。這個學生，就是我初為人師時，他「冒險」在周記中批評我上課沒有笑容，教懂我當老師更該反省的人。十多年不來信，如今只因看了我寫的東西，不同意，要提出他的看法，就給我寫了一封信。他寫得太好了，我不想轉述——轉述也不會寫得比他好，試抄錄如下：

「……『中國的牛』裡面對印度、荷蘭、日本、西班牙的牛譬喻得很貼切。對中國的呢，妳可不可以改一改？『默然地工作，平心靜氣』，好像不合時宜。中國的牛畢竟要醒覺了，不能老套著封建餘下的框框去沉默勞動，百般忍受，讓別人得到收成。哀哉！中國人一向慣於沉默，埋頭苦幹，不隨便發表意見，外國人總是拿中國人這『弱點』來佔盡便宜。」

「在外國，發言是必須的一種本領，辯論是起碼的本能。只會忍，你就會被認為是愚鈍、天生被欺負或者不須放在眼內的小人物。在公司裡，只默默地耕耘，無論你成果是多麼好，你只是個平庸、守本分以及馴服的好僱員而已，不算得上一個主管領導之材。單是平心靜氣去忍不獨解決不了問題，有時還帶來更多不必要的誤會及猜測，加重了問題的障礙。」

「單是沉默工作，就不易成大事，特別在這個多元化的現代社會裡。……再者，現代中國的牛多少要借助現代廣告的技倆去生產、發展及推銷意念，促成計劃。……我們必須主動地、積極地公開研討及交流。否則你只有被自己遺棄在角落裡，現代人太匆忙了，沒有一刻機會停下來發現你的光芒。老師，要怎樣去引導年輕一代的中國牛，就要看你怎樣去譬喻了。……」

這個學生，十五年前，以一個中文中學畢業生身份，跑到三藩市去謀生。靠著白天替人家修理及保養房子，晚上坐寫字間，負責指派煤氣及電力技術員對外故障急修，十多年下來，已經有一個幸福家庭，但他在信裡這樣說：

「……我家後園有棵日本櫻，十餘呎高，蟹爪枝橫爬出來直徑廿餘呎，濃濃的綠了每年夏季，秋冬之間落足兩個月橙紅的葉，卻只在舊曆年後一兩星期才綻放一樹粉紅粉白的花。雖然不能拿來應節，亦於願足矣，因為可以透過這花樹去聯想在遙遠的東方。年輕時跳蹦蹦地和著歌，揮著袖在郊野外恣意地踐踏殘葉的那種瀟灑，如今換上每年隆冬拿著掃帚垃圾箱忙得一把汗去清理滿園凋零落葉。遊河人與擺渡人箇中兩種滋味立刻就分曉！每次回港時，我都有這種感覺：我到底是遊河人還是擺渡人？……我歡喜美國的自由空氣，偌大的原野，無盡的高速公路，卻憂於沒有可以生根的泥土。……記得，中學歷史課翻到南京條約時，我們就滿腔年少熱誠地盼望有生之年見到香港回歸中國，現在，一旦盼到了，我們卻躊躇不前，無限矛盾。畢竟，我們都世故了……。」

深夜，我提起筆來，想著如何回一封長信，但再三思索，久久仍寫不出一個字來。此際，我抄著他的信，卻淒然下淚。淚水迷糊了我的眼睛，迷糊了我的心思。

年輕一代的中國牛該怎樣？

到底是遊河人還是擺渡人？……

請原諒我！

請原諒我！

——分上、下兩篇刊一九八七年二月九及十日《星島日報》副刊「七好文集」專欄。

一九八七年

碑前

清明後一個星期天，我和朋友一同到香港仔華人永遠墳場去，憑弔蔡元培先生之墓。站在墨綠色雲石碑前，我們細讀「蔡孑民先生墓表」：「……回國任北京大學校長，革新校政，袪除舊習，倡學術自由，由是舊學新知，兼容並包，俱臻蓬勃，而全國學術風氣亦為之丕變矣。……」以上的話刻在石碑上，在陽光照耀中，閃著金光，記錄了七十年前一位開明教育家走過的道路。寥寥幾句話，看似尋常，但做起來，真是談何容易！

在腐朽已成定局的情況下，要改革一個龐大的教育機構，就得頂住無數短視固執的反對者，和那無可估計的政治壓力，如果不是具有堅強的信念，和通盤的遠見，恐怕不容易下定決心承擔重任！而往後的日子，他面臨的困難，也不是石碑所能記載的。

大量聘請優良而學有所專的教師、改良各系各科的編制、打破男女不同校的傳統、推廣平民教育，實行教授治校制度，都是他上任後連串的整頓與改革，而目的是為大學生創造一個有利環境，確立學術獨立、思想自由的風氣。就在這種情況下，北大學生新思潮湧現，養成以關心國家民族興亡為己任的宏志。

一九一九年的五四運動，北京大學學生振臂一呼，全國響應，蔡元培實在是個催生者。後來，他更參加和領導「中國民權保障同盟」，極力爭取民主、自由，直到病逝香江，可說是矢志不移。

悠悠五十年過去，偉大教育家走過的艱難道路，依舊艱難。不知道蔡先生泉下翹首，遙望神州，後來人正舉步維艱，又有何感歎？

——刊一九八七年五月四日《星島日報》副刊「七好文集」專欄。

參

❖ 朝著華人永遠墳場石牌坊，走完上坡路，過了刻著「同登仙界」四字的另一個石牌坊，轉向右邊小路，盡頭坡上有一座「四望亭」，繞過小亭，在朝東南的台階上，找到「資」字記號，向前再走幾步，就會看到一塊墨綠色，刻上金字的雲石碑——說一塊，不夠正確，它是由幾塊雲石合成，上面刻有「蔡子民先生之墓」七個大字。

——小思〈五四歷史接觸〉，見一九八七年五月四日《星島日報》星橋版「香港文學散步」專欄。

另見《香港文學散步》（增訂版），香港：商務印書館（香港）有限公司，二〇〇七年。

詩道、皇后大道、薄扶林道，沿途都有市民列隊目送。在南華體育館公祭時，參加者萬餘人，那

小思
香港文學散步

五四歷史接觸

六十年後隔着冷淡的白石／灼熱的一腔心血／猶有餘溫，那淋漓的元氣／破土而出化一株翠綠／探首向蒼顏多難的北方／想墓中的[illegible]在六十年前／[illegible]過一隻搖籃／那嬰孩的乳名叫做五四／那嬰孩[illegible]的哭聲／[illegible]千年沈沈的古國／……」（『蔡元培墓前』）

這是一九七七年六月余光中憑吊蔡元培先生之墓後的作品。那一年，詩人[illegible]，好容易才找到荒涼得很的蔡墓。也許，五四運動、蔡元培，這些名詞許多人都知道，但有多少人知道：香港原來是蔡先生葬身之所呢？

四十七年前，香港仔是個漁港，遠離市區，華人永遠墳場就在山坡上。一列列墳墓日夕面對的是小舟漁火，但四十年之後，它們卻困處在車聲人煙中了。在[illegible]的墳碑間，就有一塊，埋葬了一生爲中國爭取人權、學術獨立、思想自由的教育家——蔡元培先生。

讓我們去向這位開明的長者致敬吧！

朝着華人永遠墳場石牌坊，走完上坡路，過了刻着「同登仙界」四字的另一個石牌坊，轉向右邊小路，盡頭坡上有一座「四望亭」，繞過小亭，在朝東南的台階上，找到「資」字記號，向前再走幾步，就會看到一塊墨綠色，刻上金字的雲石碑——說一塊，不夠正確，它是由幾塊雲石合成，上面刻有「蔡子民先生之墓」七個大字，和「蔡子民先生墓表」。現在看到的大碑，是一九七八年由北京[illegible]

眞是榮哀。

香港山水有幸，讓這位文化巨人躺着，可是，香港人也善忘——[illegible]，不是善忘，是根本不知道，年年清明重陽，不見有多少人去掃墓。掃墓，只是個儀式，不必斤斤計較，但如果在五四紀念日的前後，能去蔡先生的墓前致敬，深思蔡先生生前走過的道路，[illegible]我們香港人可以做得到的事！

什麼時候有空，走到已變成鬧市的香港仔去，不妨去作一次歷史接觸，讀一讀那刻在碑上的墓表，追思前賢爲中國民[illegible]教育立下的[illegible]，或者，我們會在歷史教科書以外，多領悟一點歷史教訓，同時，可[illegible]出一點歷史情懷。

一九八七年

彷彿依舊聽見那聲音

荷里活道，真是一條奇妙的街。舊房子一幢幢拆掉，新大廈紛紛建起來，可是，整條街，仍鎖纏著古老、歷史的氣味。一個尋常午後，試試漫步其中，你會驚訝：這是八十年代的香港面貌嗎？真真假假的「歷史」，沉默地擺在櫥窗裡、地攤上，並不標明價格，等待識貨的人來！

從皇后大道中往山上走，也許你給弓弦巷和嚤囉上街的小攤、穿得並不光鮮卻聚精會神在討價還價的人群吸引，停住了腳步，埋在某一個小堆中，出神聽他們怎樣用最粗卑的語言，說著一塊他們心愛的古雅玉器。然後，你再往樓梯街向上走，穿過荷里活道，再從文武廟旁邊經過，抬起頭來，就會看見一座紅磚塔，塔上嵌著「青年會」三個大字。看清楚，其實，那不是塔，只是一大座紅磚房子的突出部分，它坐落在必列者士街五十一號。……

二月十八日，正下著一場大雨，晚上九點鐘，基督教青年會的小禮堂，顯得反常的熱鬧，五六百人在裡面，等待聆聽一個陌生的聲音。「以我這樣沒有甚麼可聽的無聊的演講，又在這樣大雨的時候，竟還有這許多來聽的諸君，我首先應當聲明我的鄭重的感謝。我現在所講的題目是：『無聲的中國』。……青年們先可以將中國變成一個有聲的中國。大膽地說話，勇敢地進行，忘掉了一切利害，推開古人，將自己的真心的話發表出來。……只有真的聲音，才能感動中國的人和世界的人；必須有了真的聲音，才能和世界的人同在世界上生活。……」

二月十九日，還是下著雨，下午，小禮堂仍坐滿站滿了人，陌生的聲音又從小舞台上傳開：「……我想，凡有老舊的調子，一到有一個時候，是都應該唱完的，凡是有良心，有覺悟的人，到一個時候，自然知道老調子不該再唱，將它拋棄。但是，一般以自己為中心的人們，卻決不肯以民眾為主體，而專圖自己的便利，總是三翻四復的唱不完。於是，自己的老調子固然唱不完，而國家卻被唱完了。……」穿著淺灰色布長衫的中年人，用他濃厚紹興鄉音向台下的人講話下，幾乎全是聽不懂他的話的香港人，靠著另一個人的翻譯，專注地聆聽。……

你從紅磚屋的正門進去，小禮堂小舞台還在，也許，這時候，你可以站在裡面，彷彿仍聽到那陌生的聲音，雖然，那已經是六十年前的聲音了。

是的，是魯迅，一九二七年的二月，由中國到香港來，在青年會作了兩次演講。當年，香港給魯迅的印象並不好，但卻並不妨礙他對香港年輕人的殷殷寄望。他說：「就是沙漠也不要緊的，沙漠也是可以變的。」在兩次演講中，他也表達了對中國命運的關切和求變的信念。

六十年過去了，你試試站在古老的小禮堂裡，依舊，彷彿聽見魯迅的聲音。

——刊一九八七年五月八日《星島日報》副刊「星橋」版「香港文學散步」專欄，作者署名小思。專欄第一篇〈五四歷史接觸〉寫香港仔蔡元培墓，刊五月四日「星橋」版，專欄至同年六月十五日止，共六篇，其餘四篇分別為〈林泉居的故事〉（五月十六日）、〈一堵奇異的高牆〉（五月二十二日）、〈三穴之二六一五〉（六月二日）、〈寂寞灘頭〉（六月十五日）。

❖ **參**

於是我們隨著小思女士漫步。現在時空與歷史文學時空互相化入。眼前有景，空中有音，音是眾音共奏，複調並作。……散步時先就小處著眼吧！魯迅演講的地點是基督教青年會，紀念魯迅的場所是孔聖堂，雖然令人有「錯位」的感覺，但又何嘗不表現出香港文化自由寬容的一面。

——黃繼持〈引言．行腳與傾聽〉，見《香港文學散步》（增訂版），香港：商務印書館（香港）有限公司，二〇〇七年。

粗筆一寫

每一年都會到外邊去旅行一兩個星期，回來後卻沒有寫甚麼遊歷見聞之類的文字，只因為旅遊文字不等同旅遊指南，重點乃在作者個人感受和對所遊地的感情多少。多少年來，到大陸各地去，感情至為多樣而複雜，不敢寫也不想寫。到外國去，純為放鬆身心，愈來愈不作任何心理準備，一團人上車落車，穿州過市，記在眼中，不記在心裡，說不上感受，也就不寫了。

可是，今年暑假，到東歐蘇聯去了十六天，感受很深，一直惦念著，回來要把個人的看法寫出來——粗寫一筆。所謂粗寫，有兩層意義。十六天，匆匆來去五個國家，其中還得減去往返耗在空中的時間，實際腳跟著地的日子只得十二三天，粗看就只好粗寫，寫出我印象中幾個國家的輪廓，最重要的是寫出自己的感受。另一層意義，是關於我的寫法。認真算起來，我在「中國學生周報」上開第一個專欄，就是遊記，記錄了土生土長的香港青年，第一次踏足國土——台灣的許多激動感情。以後，寫得比較多的外地，是京都，生活在那裡一年，幾乎細細踏遍了那西京的街巷，感情隨著櫻柳繁謝而靜靜悠悠地轉變。這些我都寫得很細，無論感情和筆觸都很細緻，細緻得近乎過分雕琢。

近幾年來，我慢慢轉變了，看事物已從精細近鏡推開去，希望多看全景，從寬大角度去衡量事物在天地處境中的地位，看人事在歷史長流中的過去現在。我已無暇於文字的推敲和個人感情的細繡，於是筆也就粗起來了。但願，這種粗，不至流於粗疏。

匆匆過客，隨緣看到的，也許是個別事件或例子，但畢竟是我的目所見，牽引出來的感受，更是真切的。

——刊一九八七年九月十九日《星島日報》副刊「七好文集」專欄。

參

❖ 本文為東歐蘇聯遊記的首篇，隨後共十一篇，包括〈萬寶路的故事〉（九月二十二、二十三日）、〈外幣的信仰〉（十月二十九日）、〈布拉格之春〉（十月三十日）、〈布拉格之夜〉（十一月五日）、〈匈牙利所見〉（十一月六日）、〈談不宗的話題〉（十一月二十三、二十四日）、〈過關〉（十二月十八日）、〈大！〉（十二月二十七日）、〈蘇式服務〉（一九八八年一月五日）、〈且說蘇航〉（一月十八、十九、二十日）、〈蘇聯導遊〉（二月二十日）。另〈赤都雲影〉，見一九八七年十一月《明報月刊》。

一九八七年

人間情味

我並不懂得畫，但我相信：自己看懂了豐子愷先生的畫。看懂了，不是指懂得他的畫技筆法，而是懂得畫的心。看懂了，也不是一看就懂得，而是年復一年，人生路上多走幾步，才參得透畫中之情。

記得最初看豐先生的畫，總覺畫面過於簡單，粗筆一寫，無風無月，無悲無喜。但漸漸，我發現畫題是多麼重要，彷彿畫家為我們安置的一扇門。通過門，我們便不難看見豐先生的廣大心靈在筆墨之間充滿了。正因此，我們看到的不單只限於筆墨描繪的情景和物像，而是豐先生的心。他怎樣看待宇宙、世界、人類和一切生命，畫就會怎樣表露。每當我對著豐先生的畫凝神細看的時候，我總感受到一種人間情味，往往悲喜隨之。而且，畫家也有足夠的寬容，讓我們的心遊於畫中，更可隨畫意馳情畫外，直接人生。

這樣說來好像有點玄妙，其實一點也不。只要我們多懂畫家的心意，就明白他如何看人間世相；多懂中國詩詞的含蓄蘊藉，就曉得他怎樣意在畫外了。所以，看豐先生的畫，必須有一顆中國的心。

現世人事匆匆，人情有時就不免浮薄粗暴，能珍視豐先生畫中揭示的人間有情的人，也恐怕愈來愈少。而豐先生的畫，又因珍貴而價昂，卷藏在藏家畫櫥中的日多，普通的愛畫人不易看到，這未免叫人頓興豐先生畫作已遠離人間的惆悵。

正因這樣，當我知道有二百多幅豐先生畫作在新加坡展出時，就下定決心，買一張飛機票，帶一顆中國心，到新加坡來了。

為的是：在新加坡重溫一遍人間情味。

——刊一九八七年十二月一日新加坡《聯合早報》第三十八版，作者署名小思。

悲慟和疚歉

侶倫先生逝世了！

此際，我的心情竟是悲慟和疚歉糾結在一起。

侶倫先生心臟病突發病逝，在三月二十六日的夜裡——那天下午，我們正舉行一個文學月會，論題是：「香港文學研究——侶倫和他的作品《窮巷》」。假如，一月的時候，我們沒有決定要辦這個月會。假如二月的時候，我沒有撥電話懇求侶倫先生出席。假如三月初侶倫先生來信說健康不大好，不能參加月會，他就真的不再把這件事放在心裡。假如三月中旬侶倫先生不打電話給我說他可以參加了。假如他說可參加了而我又為他健康著想，不讓他為這件事操心。假如……一切假如，都只是假如，因為侶倫先生已經去世了。

十年前，我第一次看到二十年代侶倫先生的作品時，就訝於這個香港新文藝拓荒者的堅忍和對文學持久的愛意。如果我只看到四十年代末他寫的《窮巷》，一定不了解侶倫先生所走過的路途是如何艱辛。但為甚麼，歷來評論者都沒有全面的、公允的看顧他？——一個屬於香港的作家。好幾次，我請他接受外來學者的訪問，他拒絕了，他說自己沒有甚麼值得說的，甚至連作品，也不必再提甚麼研究。雖然我並不同意他這種自謙得近乎否定自己過去的態度，但我仍然尊重他的「退隱」方式。直到他把舊作《無盡的愛》、《窮巷》再版，又寫了《向水屋筆語》，我才舊事重提。這一次，他答應我，出席公開的文學月會——歷來，他不大在公開研討會上露面，這一次，他答應了，就是這一次……三月二十五日的晚上，他昏迷了。他來不及參加專誠為他而開的研討會，聽不見在座的人對他誠心的祝福。

假如，我沒有懇求他出席，也許，……

——刊一九八八年四月六日《星島日報》副刊「七好文集」專欄。

參

❖ 另參作者〈侶倫早期小說初探〉，刊一九九九年《八方文藝叢刊》9期。

證

❖ 一九八八年三月二十八日《大公報》頁五：〈老作家侶倫病逝　曾任采風通訊社社長卅年　筆下小說有《窮巷》等廿餘部〉，內文報道：「香港資深老作家侶倫先生，因冠心病猝發，救治無效，不幸於二十六日二十一時三十五分在伊利莎伯醫院溘然長逝。侶倫原名李林風，祖籍廣東省惠陽縣，一九一一年九月三十日生於香港，先後做過家庭教師、報紙副刊編輯、電影公司的編劇等，一九五五年創辦采風通訊社，歷任該社社長三十年整，對新聞事業貢獻良多。」

❖ 電影劇本《窮巷》「完成於一九四八．五月十日晚」。劇本約三、四萬字，取名為《人間何世》。全劇分七十五場，每場均註明人物、情節、時間、氣氛等提示；寫在中華書局橙色網格原稿紙上，再裝釘成冊，侶倫並為劇本封面手寫「窮巷」藝術字體。《窮巷》電影劇本手稿流轉至本館，其中尚有一段因緣：侶倫公子李兆輝先生本擬把劇本及剪報等珍貴資料贈予《侶倫卷》編者許定銘先生，惟許先生認為「這麼珍貴的文物，是應該留在圖書館的閉架庫，而不是藏在私人手裡的」，把資料歸還李先生之餘，更建議其捐贈至本館作永久保存。

——中文大學圖書館二〇一八年四月三十日《香港文學通訊》177期，網上讀取：http://hklitpub.lib.cuhk.edu.hk/news/iss177/index.htm#2（侶倫電影劇本現藏香港中文大學圖書館）

城市的光復

一九八八年

一座城市怎樣陷落，我並不知情。

「大清早，炮打起來，由九龍打起來，我們還以為演習呢，誰料，日本仔已在赤柱那邊上岸了。」

「不是在赤柱，在筲箕灣，一直攻到北角，加拿大援兵真沒用，一打就散，我們自己的保衛隊還死拚了一回。」

「總而言之，黑色聖誕日，提心吊膽。夜裡，更恐怖，日本仔先頭部隊都是爛鬼，逐戶拍門，要花姑娘，刺刀閃閃著光。我家隔鄰的小妹，就遭了不幸，她的呼喊聲，我現在還記得。」

每個人說著散碎的零片，我聽了，但並不知情。

張愛玲說一座城市的陷落成全了兩個人的愛戀，我翻著《傾城之戀》，巴炳頓道、淺水灣在戰火中的容貌，並不清晰。然後，我再看了許多城陷前後的資料，浸在文字的海洋裡，但對這座城市怎樣陷落，我似不知情。

一座城市，怎樣光復，我倒記清楚。

八月中旬，那天天氣很熱，母親帶我到中環一個朋友家，為的是甚麼，我忘記了，反正，大人談些甚麼，跟小孩沒關係。傍晚時分，街上傳來吵聲，人在奔走，事不尋常。遣人去打聽，回來說日本仔無條件投降，天皇已經廣播了，晚上會戒嚴。記憶中，當時大人們不是高興——也許他們心裡高興，但局勢未明朗，不敢表現出來，而是十分緊張。母親立刻帶我坐電車回家，在車上，我記得很熱很熱。車到花園道口，有日本憲兵截停了車，呼叫一回，就看見兩個穿黑膠綢唐裝的中年男人，一面抹汗一面垂著頭下車去了，母親說那是日本人，是憲兵叫日本人下車的。那天很熱，我現在仍記得那兩個中年男人面上的汗水亮光。

回到家，鄰里聚在一起，細語低聲說話。那天晚上，好像人人特別早睡。第二天，卻熱鬧起來，街上人特別多。我最難忘，中午，吃了一大碗我從來未吃過的豬油炒飯。戰爭時，米和油都不夠，豬肉更不易買，沒有幾戶人家可吃豬油，不知道母親那天怎樣能買到，就讓家人開懷吃飽。

「和平了！和平了！」街上有人呼喊。母親臉上的歡容是我沒見過的，我不知道甚麼叫和平，她說：「不再打仗了，不落炸彈了，不再炸死人了！」我也很開心，因為我怕炸彈——我差點給炸死，也看過滿街給炸死炸傷的人。父親顯得最興奮，天天往外跑，回來就報告：英軍登陸了、正式受降、降書簽了。……一切好消息，對我來說，都比不上不必再跑警報、不再聽見 **B-29**、不再聽到炸彈聲等等那麼快樂。

一天，父親突然一把拉我往街上跑，原來英軍押解日本戰俘正經過大街。英軍拿著上刺刀的長槍，日本仔列隊慢慢向前走，夾道的中國人，有些破口指罵，有些向他們扔石頭。石頭扔出去，打在日本仔身上，再落在地上，一個英軍走過，就用腳把石頭踢回旁觀人堆中，又有人拾起來，再擲向戰俘行列。石頭每擲出去，人們便歡呼一次，很長的一列隊伍，就在漫罵歡呼中走過。我忘記了隊伍中的日本人有甚麼表情，在紀錄片裡，看見的竟是昂首的多。

「蘿蔔頭，點豉油，點得多，鹹過頭……」我也跟其他小孩子高聲唱著。

三年零八個月，在飢餓和死亡的恐懼中，沒死去的香港人夾道，看戰敗的日本人昂首走過。

（香港紀錄片惹來的之三）

——分上、下兩篇刊一九八八年五月十三及十四日《星島日報》副刊「七好文集」專欄。

參

❖「香港紀錄片惹來的」共寫五篇，除本篇及下篇，另有〈文華門外上、下〉（四月十八、十九）日、〈救命牆〉（五月五日）、〈誰要記起〉（六月二十四日）。

一九八八年

大炸灣仔

我差點給炸死，這並不是誇張的筆法。

淪陷時期，留在香港的人，誰不是差點給炸死？紀錄片裡，看到的是日本仔攻陷戰的飛機和炸彈，但三年零八個月，天天來轟炸的卻是盟軍飛機。英國、美國的重型轟炸機——B-29或**B-24**帶了炸彈，從最近香港的基地起飛，不定時的，飛近香港上空，扔下如雨的炸彈，地面就有人遭殃。本來，據說扔炸彈的目標都該是日本仔的聚居地、軍事據點、船塢，但也難免錯落在民居，死傷的都是無辜的市民。我差點給炸死，就是如此的一次炸彈錯落民居。

「一九四五年一月二十一日，下午三時四十五分左右，駐昆明基地美**B-24**型機約二十餘架，空襲本港，向香港市區內盲目投彈，在人煙稠密之華人商店住宅區投下炸彈若干，炸毀屋宇約五百餘間，慘被炸死的市民約千之數，受傷者約三千。」這是「大炸灣仔」第二天《華僑日報》刊出的消息。炸彈全落在灣仔：莊士敦道近修頓球場附近、軒尼詩道夏巴電油站左右、洛克道、謝斐道一帶。

那天，是星期天，下午三時四十分左右，我跟姊姊上街去，本要到修頓球場附近去，但不知道為甚麼，我們會朝著夏巴電油站的方向走。剛走過夏巴不遠，炸彈就落下來——奇怪的是那天竟沒有聽見警報，甚至連飛機聲也聽不見，一來就已是炸彈爆炸的聲音了，因此許多人走避不及。第一聲爆炸聲響過，姊姊本能反應，抱著我就往民居的樓梯跑，跑上二樓人家門外，戰時生活，人人都學會在第一時間找到掩蔽之所，炸彈是無可避，但可避爆破的碎片。我們蹲下來，雙手抱頭，聽著瘋狂的轟響，感到整座房子在搖動，塵沙紛紛打在我們身上。

不久，震耳的聲音兀然而止，轟炸過去了，我們第一個念頭就是趕快回家。誰料從二樓走到街上，我們比剛才更慌亂，只見受傷血淋淋的肢體散布在軒尼詩道上，向右邊望去——我家就在右邊隔兩個街口處，竟是一幢火幕：夏巴中彈在焚燒。我清楚記得，姊姊朝一個慌張走過身旁的人問：「那邊怎樣了？」那人回過頭來，全面是血，他有沒有回答，我倒忘記了。你以為我這個時候會哭？不，戰時的小孩子不大哭，但「沒有家了」的恐懼卻全布心頭。我們得設法回家去，雖然只差兩個街口，一張火幕隔著，如何穿過？只有十多歲的姊姊，帶著我，穿過軒尼詩道，走到灣仔道，再走一段路，過了國泰戲院，就看見菲林明道的英京酒家和東方戲院了。在軒尼詩道上，我抬頭看見家沒有毀，家人都在騎樓上觀望，他們在盼望兩個剛離家外出的孩子安全歸來。直到今天，有時夢裡，我還會看見母親在騎樓上招手的樣子。

我不想描述回家路上所見的恐怖情形，只說一件事就足夠，回到家，我的鞋底和鞋邊上，都凝著血塊，踏著多少人血，可以想見。從來，轟炸時，我都在家，只有這一次——最慘烈的轟炸，卻在受炸中心的街上，注定我遇上了，留一條命，目擊戰爭的殘酷。七歲的孩子，給嚇壞了，不言不食，病了好幾天才康復。我珍惜一切生命，因為七歲時就懂得死亡。

盟軍來炸死許多人，日本仔在報上說：「全港居民對此暴行，應刻骨銘記。」但我們香港人都這樣說：「盟軍本來要炸海軍船塢，可惜炸彈在上空早落了一粒米位，就下到灣仔來了。」沒有人宣傳，我們都明白，轟炸是應該的，只有這樣，日本仔才早日完蛋。

（香港紀錄片惹來的之四）

——分上、下兩篇刊一九八八年五月二十七及二十八日《星島日報》副刊「七好文集」專欄。

❖證

二〇一八年二月一日《蘋果日報》要聞版：〈日佔時期美軍空襲投下　恐陸續發現〉，內文報道：「專家分析，三年零八個月期間，日軍於石塘咀至筲箕灣一帶港島沿岸建設軍事設施，其中灣仔更是日本人主要聚居地，故以美軍為首盟軍開始反攻香港時，為打擊日軍，派出戰機集中投彈攻擊港島臨海一帶具戰略價值目標，當中美軍 B17、B24 及 B25 轟炸機均能盛載 AN-M64、AN-M65 及 AN-M66 型號的空投炸彈。空襲目標主要是油庫及機場等軍事設施，但不少毗鄰民居，轟炸機投彈時，一旦有偏差就會誤炸民居。一九四五年一月盟軍轟炸位於金鐘的海軍船塢時，就誤炸了現時的修頓球場民居，造成近千人死亡，同年四月轟炸東區避風塘軍營，卻誤炸今日聖保祿醫院一帶，導致五百名平民身亡。」

鼓勵我寫作的生物系主任

鼓勵我寫第一個專欄的老師，竟是與中文科毫無關係的新亞生物系系主任，那不能不說是異數。

我常常想起任國榮老師！

大學第一年，我選修的科目很雜——現在看來，倒符合了通識教育的精神，既選了「經濟學概論」，也修了「生物學概論」。為甚麼選上經濟系的課，已經忘了原因，但選生物學這一門課，是因為中學時受過鄺慎彷老師的嚴格訓練，產生濃厚興趣，何況，教授是「師祖」，算是一脈同門，自信聽課毫無問題。誰料，上了第一次課，我便暗自叫苦，大學的教學，無論內容與方法，與中學分別很大，而最難過的是師祖任國榮老師好像頂不喜歡中文系，我是班裡唯一唸中文的學生，堂上他多次挖苦唸文科的人，我以後就成了給他挖苦的好對象。

他很嚴格也很苛求，答他的問題，錯用一個字眼，都會給他罵一大頓，而我，幾乎沒有例外，每一課，都成為他發問的對象，以後日子怎麼過？我只得乖乖用功備課，以為拿好成績給他看看，就可「免疫」，但我猜錯了，並沒因「乖」而令他放過我，有一次，他居然對全班說，把課本裡的東西唸得滾瓜爛熟的，不等於好學生，可能是最沒思想的人而已，氣得我直跳腳。

儘管如此，他的課卻的確好，我學到的不只是生物學知識，還有思維方法。所以，雖然上課時，往往嚇得面無人色，——隨時變成他話題一部分，例如有一次，他在講自然現象，不知道怎樣說到雲層，他就忽然指著我說：「不要以為作詩，白雲啊！天上的雲呀咁簡單。」逐漸，我也習慣了他的態度，把他那即興式挖苦看成調劑節目。

一學年過去，我學到的是一套科學理念，和一些日常現象的學理解釋。暑假，我到台灣去旅行了一個月，帶回來的是一肚子感想。有一天，我經過生物系系主任辦公室門外，任老師看見我，微笑招手：「細路，唔見咁耐，去邊呀？入嚟坐吓啦！」以後，每星期，他都說一次這樣的話，而我就會坐在他辦公室裡，喝杯香片茶，跟他聊天，——談的竟是文學和創作，你說奇不奇怪？他的中國舊文學根柢很好，這是修他一年課後才知道的，但他很不滿意一些傳統中迂腐的讀書態度，認為不問根由地一味服從權威諸家注釋，不夠科學，這也正是他挖苦唸文科的人的主要原因。由於我剛從台灣回來，不免就向他說了一些看法。他聽了，就對我說：「這些看法很特別，為甚麼不寫出來，給人家看看呢？寫好拿來給我看！」本來，我還是很怕寫成的東西又成了他挖苦對象，但我實在有太多感想，卻不知道說給誰聽，竟然有無比勇氣，寫了就拿給他看。過了一個星期，從他手中接過那些稿，發現他用鉛筆做了許多批語，指出了思想上、文句上的問題來，他的認真，令我既驚訝又感動，一時說不出話來。他還不斷鼓勵說：該拿給更多人看，於是，我便下定決心，拿去「中國學生周報」發表，那就是我第一個專欄「一月行」的由來。以後，我寫了東西，都拿給他看，經他近乎苛刻的挑剔和適當的鼓勵，我會一字一句的修改。三年，沒有間斷過。離開新亞，就再沒有這種好機會，但我下筆寫文章時，總十分謹慎，彷彿聽見任老師說：「細路，唔係白雲啊，天上的雲呀咁簡單。」

——刊一九八八年七月二十三日《東方日報》「青年學園」版，作者署名小思。

一九八八年

脊樑的憂思

看著劉賓雁、陳映真兩位先生同坐在台上，我的心情極端複雜。

一九八七年，陳映真站在落馬洲望風懷人之際，我以為：兩位風骨錚錚的人物不能相見，是時代困局的一種悲劇象徵，不單關乎他們兩個人的機緣不遇，而是連繫著整個國家割裂命運。當時，我默默祝禱，終有一天，他倆能等到相見機會。沒有想到，不過一年後，他們就在香港作了歷史性的會面。這表示甚麼呢？不可預計的急劇政治氣候變化，我竟無法說明這是好是壞。有人說：這畢竟表示開明了開放了。有人說：終於讓他們見面，政策高明了。陳映真說是你們把我當成明星了，劉賓雁說我們的對話其實帶著表演性質，有人辛辛苦苦爭得一張票排了隊，「看」了半場就走，有人有機會對談，卻在台上自顧自的唸起詩來……這一切的背後，隱含著許多令人惶惑的事實。

人家說，他們都是中國的脊樑！

那天晚上，他們在台上，說著他們可能說的話，我們期待他們說得更多。遙望著：莫名的疲倦壓著他們，我忽然非常悲慼，兩條脊樑，擔得多少重擔？幾十年來，風風雨雨，為甚麼只有那麼少數的脊樑來一肩挑盡？我們竟然來看兩條脊樑在台上表演，那我們自己該做些甚麼呢？而他們說話裡又能帶給我們多少啓示？

從陸佑堂走出來後，我看見一個個年輕的背影，究竟他們會怎樣體味脊樑的憂思呢？未來的日子，他們會走怎樣的道路？我不禁沉思。——陳劉的疲倦身影，忽然重疊出現，彷彿挑著不能說出來的憂慮，走啊走啊，走向無盡的天邊！

——刊一九八八年八月十九日《星島日報》副刊「七好文集」專欄。

證

❖ 一九八八年八月七日《大公報》頁四：〈首次面對面探討共同關心問題　劉賓雁陳映真在港對話　三個小時交談兩岸情況〉，小題：「陳映真說，今天，如果還有人為自己當不當中國人在『鬥爭』，他認為是很值得悲傷的。」

❖ 一九八八年八月七日《華僑日報》頁一：〈兩人曾坐牢同樣感覺負有民族使命　陳映真與劉賓雁對談　讚頌蔣經國開放政策　認為在人民願意情況下兩岸可統一〉。另題：〈劉賓雁談九七問題　雖屬巨變卻不可怕　若國家一天比一天可愛誰願意離去〉。又題：〈劉賓雁陳映真談兩岸作家際遇　台灣作家讀者漸疏遠　大陸卻出現相反情況〉。

WAH KIU YAT PO

華僑日報

注意安全可免樂極生悲

學玩滑浪風帆 不宜無師自通

駕駛滑浪風帆出海 首要留意天氣情況

龍眼並無問題

沙埔道截兩私家車 獲十八公斤海洛英

白籐湖度假邨下令 遊艇駕駛員再考牌

劉賓雁談九七問題 雖屬巨變卻不可怕

台灣作家讀者漸疏遠 大陸卻出現相反情況

陳映真與劉賓雁對談 讚頌蔣經國開放政策

一九八八年

河殤？

剛看完了中國電視片集《河殤》，帶著滿懷疑惑，我到了世界另一個文明古國：埃及，在尼羅河畔，想著一些河的謎和河的命運問題。

在開羅博物館裡，我訝於三四千年前的文明燦爛。雕刻品的精緻，科技設計的巧妙，蘆葦紙卷記錄的科學法律條文，足證人類在這河畔發揮過極大的智能威力。從博物館走出來，想到沿途所見，在枯乾沙土上的破爛小屋，破衣赤足向遊客伸手要錢的小孩，旅遊區做生意的小販的苛索、小街大街的擠塞骯髒，雖然都不過作為一個過客的匆匆一瞥，可是，仍深感今昔的對比強烈，智慧如此高超的民族後代，為甚麼會如此不濟事？

黃河、恆河、尼羅河、幼發拉底河，一條條曾經孕育了世界文明的河流，在河畔，人類分別在東在西，發散著耀目靈光，甚麼時候，忽然竟都停滯不前，給「野蠻人」趕過頭了？別人有沒有追究原因，我不知道，黃河的子孫，卻斷斷續續想了超過一個世紀了。

現在有人把一切罪咎歸到河的身上，歸罪於流經她身旁的黃土身上，最後當然歸罪於由她孕育出來的文化身上。可是，我們怎樣看待那些從無到有的偉大發明呢？不必過於戀戀往日光輝，不要迷信祖先遺產可以養活千百代人，但也不一定把從前所有加以否定。黃河、尼羅河，畢竟培育出人們高明的祖先，以後，出了甚麼毛病，讓後代吃盡苦頭？是人還是河的問題？河帶給自己這樣不可測的光輝，也承受著不可量的罪狀，人呢？人該負甚麼責任？河真的殤了，何來曾經存在過的文明？滾滾東流，終歸蔚藍大海，但，河仍千年萬代，迂迴曲折流在大地上，是我們說歸於蔚藍，她就完全沒於蔚藍了嗎？河的命運，是一個民族的命運，擺脫不了。

——刊一九八八年九月十三日《星島日報》副刊「七好文集」專欄。

❖ 參

我很理解「河殤」，寫的人要改革，卻要在短短幾集電視片中向廣大無知的百姓細說，故採用一種賣廣告的方式，指出黃河文化那樣的不諳事而西方文化卻是如此這般的了不起，高下立見，否則獨自闡釋民主等理論是徒勞無功的。誠然，「河殤」不是一部嚴肅文化討論的經典，因它理論膚淺、浮面，但旨在「衝擊」我們，作硬推銷。

——諾曼、汗青、胡馬〈小思——風來小思化春雨〉，見一九九〇年五月《城市理工大學學生報》。

❖ 證

一九八八年六月二十九日《大公報》頁三：〈片集《河殤》哄動內地 對振興華夏啟發思考 以文化批判的意識開展對祖國文明的探索〉，內文報道：「今天（二十八日）播映完畢的電視系列片《河殤》以其對華夏文明的嚴峻思考，撞擊了眾多觀眾的心靈。……《河殤》用其片名向民眾宣告：『我們驕傲的黃河文明早已夭逝。』……而今晚播放的最後一集《蔚藍色》則通過黃河奔騰千里終將歸入大海的道理，預示中華民族文明的出路在於從大陸走向海洋。」

一九八九年

割切了的天空

◇在《晝康報》選寫「南山小品」專欄

想念滿天健康色的陽光。

站在中環遮打花園的正中，仰起頭來，用自己作圓心，向高處四方找尋。原來完整的天空，給割切慘碎，灰濛濛，襯出許多樓宇的輪廓。不懂得甚麼後現代主義建築，滙豐銀行不再四平八穩對稱妥貼，永遠未建成的模樣，鋼質圓筒框條，疑心是一座工廠或者太空中心，頂上人說有兩支大炮，橫擺霸道割切了天空，果真像！希爾頓酒店的橢圓邊緣，相映之下，就顯得謙遜而溫厚。人說為了那兩支炮，中國銀行必須如此尖削。頂處一雙筷子，直指天空，形成另一類割切，從這邊看，一個又一個大交加，從那邊看，竟是一個又一個水字或者木字，鮮藍色，不是天空的藍，是金屬的藍，但不久，藍色會脫落，變成銀質的白。奔達中心莫名的左曲右折，天空沿著它的邊線碎成左曲右折，富麗華老老實實只是一條橫切線，就切去一塊天空。

下午四點鐘，我向高空找尋陽光，顯然失望，天空給割切慘碎了。地上，俯下頭來，移動身軀，我向地面四方找尋。——找尋一種陽光的感覺。

地面，給許多人聲鋪蓋著，但也斷斷續續，割切著我的聽覺。「六四學制，堅持到底」「不投降，不放棄，理想不可死。」……以五十歲的淚眼，細看那些如赴嘉年華會的年輕笑臉，驀然，我不知道自己該在找尋甚麼。柔和的流行曲調子，跟新配的曲詞意義，蕩漾著異樣的空氣，「We Shall Overcome」？是嗎？用一首英文歌表達自己心聲，聲音割切著我的聽覺。

仰起頭來，用淚眼向高處四方找尋。原來完整的天空，給割切慘碎：滙豐銀行、中國銀行……冷硬的金屬割切著天空。

下午四點鐘，我找尋不到健康色的陽光。

——刊一九八九年二月二十一日《星島日報》副刊「七好文集」專欄。

參

❖ 一九八九年二月二日下午四點多鐘，中環布政司署西翼十二樓的窗口打開，有人倚窗下望。下面有幾千香港學生坐著。他們為堅持教育理想來到這官署，用溫和行動表示正義的公論。聲音上揚，窗沿就出現了幾張臉。十二樓，人的視力一定有限，看不清我們的表情，他們可能這樣想。又或者，他們根本沒有想到別人看不看見的問題，也不必理會這群微不足道的人，他們各自笑了！……支著頤憑窗微笑的外國殖民地官員的笑，我們不必去說了，反正理所當然，不笑才怪。至於另外四張「中國人」（？）的笑臉，那種洋洋得意，而嘴角又泛起不屑的表情，真是叫人刻骨銘心，這些笑臉，中國人應該不感到陌生，魯迅筆下就活生生的記錄了許多許多。香港人，不大讀魯迅的文章，又或者，多少年來「教育」方式令我們視而不見，又或者，多少年來他們都關起窗子來笑，所以，這一回，我們是一見驚心。……殖民地教育史的最後八年，如果要寫成史冊，這窗沿上的笑臉，平添了最佳的插圖。

——小思〈窗沿的笑臉〉，見二月二十四日《星島日報》「七好文集」專欄。

證

❖ 一九八九年二月三日《華僑日報》頁十二：〈抗議通過三號報告書　中大學生校園集會　舉行誓師儀式後乘車至中區遮打花園　匯合各院校學生遊行至布政司署請願〉

❖ 同上另題：〈大聲疾呼「堅持六四制　百餘名港大學生手持橫額　抗議行政局通過三號報告　學生代表請政府應就財政上作出分配　不能以開源節流來劃一大專院校學制〉，內文報道：「百多名港大學生昨日手持橫額及標語，由黃克競大樓操到陸祐堂，並不斷大喊『堅持六四制，反對三號報告書』，而手持之標語並寫著『行政局滾蛋』。抗議行政局通過教統會三號報告書。他們從陸佑堂乘車至遮打花園參與大集會。另外，港大昨日剛遇上學生日的活動，而大部分學生被吸引參與一項點唱及啤酒比賽，對學生會之呼籲反應未佳。」

空中的聲音

現在常說：香港年輕人是電台電視台養大的。看到香港電台出版的《香港廣播六十年》紀念特刊，回想起來，我們這一代，童年何嘗不是由電台養大？許多常識、人生態度、價值取向、聯想能力，都來自空中廣播傳來的聲音。

下午放學回家，就聽鍾偉明講陸阿采方世玉，知道一身武藝，還得經過木人行苦鬥才能見世面，還得受許多苦楚委屈。吃過晚販，就聽方榮或者陳弓、葉慈航。方榮講《七俠五義》、《濟公傳》，後者講個沒完沒了，開叉筆，叉得變成掃把筆，難得總能回到主線去。「因果裡頭有句話……」成了日後做人處事的座右銘。惡人當道，好人受苦，一聽見「鐵列撻辣卜」（這幾個字只稍近其音，方榮說濟公穿對爛草鞋，走起路來，就是這個聲音），就知道雨過天青的日子快到，濟公現身，一切好辦了。只是一直不明白，故事裡人物一吃就要吃「大線雞牛白腩」，飲「龜鹿二仙酒」，原因何在。我小時候多病，母親把我契了給濟公佛，過時過節，都帶我到灣仔濟公廟去上香叩頭，神案前擺著的倒有雞和燒肉、白米酒三杯，卻沒見過牛白腩和龜鹿二仙。母親說，大概是方榮自己喜歡吃，而不是濟公愛吃。陳弓講歷史故事，是真講歷史，也講故事，還教讀正音。記得門神的名字「神荼鬱壘」該讀成「伸舒鬱律」，「綸巾」，應唸「關巾」，就是小學時聽他教的。晚上十一點鐘，如果得到母親准許，還可以聽《夜半奇談》，為不妨礙他人入睡，聲音不能大，「麗的呼聲」擴音箱放得很高，我要站在木梯上，湊近去聽。有一次，鬼故事太恐怖，嚇得我從梯上跌下來。從此，母親就不再讓我聽了。不過，我仍常沉著震抖的聲音扮鬼叫：「夜～半～～奇～～談」去嚇膽小的同學。

還有好像是滔滔講《福爾摩斯探案》，總認為華生醫生好笨，福爾摩斯怎會找個如此笨人作助手，也成了我童年想不通的問題之一。我最佩服福爾摩斯跟人初次見面，就可從人家的手指、衣服、鞋襪猜出身份職業，就養成了我一直喜歡注意別人手指衣服鞋襪，試猜人家身份職業的習慣——猜對與否，那是另一回事。對各種事件，逐一推理，不放過任何細節，才會找出答案，是福爾摩斯在空中傳遞的訊息。劉惠瓊姐姐柔美聲音，在小學一二年級時，成為我嚮往的對象。二年級時，母親讓我到灣仔麗的呼聲去參加兒童故事比賽，那是我第一次見到劉姐姐、鍾偉明大哥。雖然沒得獎，但得了一枚紀念章和一張團體合照，保留至今。三十多年後，在不同場合，第二次見到他們，我忍不住上前去向他們致意，告訴他們我是由他們聲音養大的。

當然，也忘不了文學名著的廣播劇。印象中，《日出》廣播了多次，劇中幾段冗長獨白，我幾乎懂背，但原著文學，我要到中學才看到。眾多話劇中，最不明白《南歸》，到後來看原著，才知道那是一個不大好懂的愛情故事。《雷雨》，我只記得繁漪被逼飲藥一段，和電線在雷雨中會電死人的事。至於這些廣播劇中人，由誰來扮演，我記不起了。

這些聲音，陪伴著我成長，現在想起來，彷彿還一清二楚，但又飄飄忽忽，畢竟一晃三十多年了。如果當時錄了音，重播出來，不止是懷舊，而更可以反映兩個時代不同的社會面貌。

三十多年後，才第一次看到方榮的樣子，星期日早上聽到鍾大哥主持《松柏之聲》……我原來已走了好一大段路了。

——分上、下兩篇刊一九八九年三月三及四日《星島日報》副刊「七好文集」專欄。

一九八九年

也說姓名

看到師友談姓名談得十分熱鬧，我也來湊個興。

我的姓名筆劃多，初學寫字的時候的確吃盡苦頭，但倒有一個好處是意想不到的。那時候，小學生在課堂犯錯，老師總愛罰抄姓名一百二百次，記得班裡有個男同學叫卜守仁，天天犯錯，天天抄自己的名字，筆畫少，他交得最快，後來老師發現他名字佔了便宜，轉要他抄校歌。我自知姓名難寫，單一個「鑾」字就二十七畫，因此，永不敢作怪，免得受苦。於是，我很乖。

長大以後，簽名還是比許多人來得麻煩，幸而草書簡體混合，仍可勉強應付。可是到大陸去旅行，問題就來了。許多機會要用電話去訂酒店、打長途電話，或訪友留名，沒一次對方聽得懂。結果，我只好這樣說：「廬山的廬，不要上蓋，偉大的偉沒有人旁，改作王字……」問題立刻解決，到了第三個字，最初我總說：「金鑾殿的鑾」，對方多是年輕人，金鑾殿，太封建，當然不懂。後來，我想了個辦法，對方不但一聽就明白，還會哈哈大笑，那就是：「戀愛的戀，沒有心，只愛金。」

姓名，伴著自己一生一世，我感謝父母給我一個很不普通的名字，雖然不容易寫，但不普通。盧家本有規定，我這一輩，男應是景字排，女應是淡字排。父親是個生意人，又有點反叛性格，說家裡有個人叫淡，淡來淡去，不好，就把我和姊姊從淡字排改成瑋字，兒子依然從景字排。母親說瑋字好，是塊美玉。中國常用字幾千個，含意嘉善的也很多，做父母的稍用心思，總可配搭出幾個別不同的好名字，不必弄到許多人爭用一個名字的局面，太多人用的姓名，有時會引起許多不方便，例如，我每逢聽到人家說黃志強，我總得急著問：到底哪一個黃志強？

——刊一九八九年四月二十一日《星島日報》副刊「七好文集」專欄。

真正的盡責

「天下興亡，匹夫有責」，不要嫌棄這兩句老話，天下不是少數人的，每個人都要有承擔責任的抱負。人類、國族，千年萬代，就靠每個人的「有責」，不斷向前邁進。但負甚麼樣子的「責」呢？是不是有權就有責？行使權力就是盡責？這真是令人傷透腦筋的大問題。

咱們中國，幾千年來，盡責的人很多，可是國家命運總是在迷霧裡起起伏伏。遠的年代不說，就五四以來，知識分子人人想盡責，人人努力行使權力，為中國尋路，結果怎樣？真是一言難盡。問題在哪裡？就在沒有尋得一條正路，沒有確切可行的路：人人各自在自以為是的「正路」上盡責，既浪費了精英的生命，也把中國拖得迷離失路。七十年來，歷史作證，任誰也不能用美麗的言辭去掩蓋曾經發生的事實。

我們不能說那些自以為是在「正路」上盡責的人不盡責，不幸的是他們愈盡責，就愈把中國推離正路，五四當年，早已為中國尋得正路，可惜，種種阻障，我們又望路興歎。那是一條甚麼路？我想引述一段史實說明。一九四五年七月，黃炎培去延安見毛澤東，毛先生對他說了下面一段話：「我們已經找到新路，……這條新路，就是民主。只有讓人民來監督政府，政府才不敢鬆懈。只有人人起來負責，才不會人亡政息。」由此可見，四十多年前，一條新路就已尋到，只要人人起來負責，國家就有希望。

為中國，人人起來負責，只有在民主正路上盡責，才是真正的盡責！也只有真正盡責的人，才可使咱們中國強大起來！

一九八九年五四前夕。

——刊一九八九年五月十五日《新一代》52期「明川隨筆」，作者署名小思。

一九八九年

沒有歷史感的城市

香港，是一個沒有歷史感的城市！

香港人，「被教導」成為沒有歷史感的市民。「被教導」，是一個生硬而我不喜歡用的詞語，但事實卻非用這詞不可。為了證明上述的說法，必須說一點歷史根源。

香港的歷史，對英國人來說，是一種忌諱。——通常犯忌的都由於不光彩。舉例說明：許地山在一九四一年三月，為《時報周刊》寫了一篇《香港史地探略》，該文第一部分是「香港割讓經過」，刊出的時候，就給香港政府檢查留問，整段抽起。如果嫌一九四一年距今太遠，不妨說說我唸中學的時代，也就是五十年代末期，中國歷史科，例不必讀鴉片戰爭。如果五十年代還嫌太遠，就說說現在吧！中學中國歷史，據說為了方便教與讀，分成甲乙丙組，丙組是近代部分。又據說許多教師認為丙組太繁太多，施教不易，學生也認為十分難記，應付考試吃力，通常「情願」不選考丙組。於是，香港中學生是在十分情願狀態下，不唸中國近代史。巧妙的策略就在這裡，不是英國殖民地政府——教育政策不讓你們中國人不唸中國近代史，而是，你們自己「情願」不選修中國近代史——我看見過中四學生因不必選讀「中史」而雀躍萬分，也見過中史老師力爭放棄丙組的激動神情。這樣，大家情願，十分好辦。香港人，在非常「合理」情況下，不唸中國近代史，當然也不必知道香港歷史了。

生活在「借來的地方」的人，不必問前因，就漸漸「被教導」成為沒有歷史感，只會拚命向前衝的群體，這對於殖民地的統治者來說，實在是非常適意的事。而對於香港人，又好像長久以來，沒有甚麼不妥當。

既然，香港的由來，對英國人來說並不光彩，而香港人不知道歷史，不問根源，就更方便統治，沒有一本香港史，遂成了順理成章的事。香港發展的步伐快，香港人忘記前事也更易。遙遠的故事，我們不必追問了，試去問問現在的中學生，甚麼是「五月風暴」、甚麼是「中文法定運動」、甚麼是「保釣運動」、甚麼是「反貪污、捉葛柏運動」……這一連串距今不遠的香港歷史，看看十來二十歲的香港人有甚麼反應，我們自當明白：「香港是一個沒有歷史感的城市」的意義。

自五六月以來，這種「欠缺」忽然給人察覺了，年輕香港人於一夜之間，察覺了中國的存在、香港的存在，他們要追問，追問那些前塵往事，追問自己和那些事情的關係。這是一個大好時機——衝破這「沒有歷史感」的缺口，真是付出很大代價，我們必須珍惜！

以後的日子，怎樣保存歷史，怎樣讓青年一輩了解歷史、汲取歷史的教訓，怎樣評價歷史，都是非常急切而重要的課題。沒有歷史感的人，最大的特徵是三分鐘熱度。如果我們不掌握這難得的時機，循著已經衝開的缺口，不斷累積深化，日子流逝，一切有血有淚的教訓，一切今天驚心動魄的事跡，很快很快，就會變成一個個簡略而模糊的名詞，甚至，連名詞也不留下，對後一輩人來說，就像甚麼都沒發生過。

創造歷史是艱難的，保存公允的歷史是艱難的，了解認識歷史是艱難的，從歷史中汲取教訓而不重蹈覆轍是艱難的，一切舉步艱難，特別對一個長久以來沒有歷史感的城市來說，我們必須付出更大代價——歷史告訴我們：我們已別無選擇！

——分上、下兩篇刊一九八九年七月二十五及二十六日《星島日報》副刊「七好文集」專欄。

❖ **證**

一九七三年八月二十七日《工商晚報》頁七：〈反貪污捉葛柏　維園集會未生意外　下周續在摩士舉行〉，內文報道：「『反貪污捉葛柏』運動，下周日再在摩士公園舉行，而昨日之兩次示威遊行集會，均無意外發生。由於摩士公園示威未獲警方批准，警方可能隨時採取行動，拘捕或檢控違法者，九龍區全體警方人員昨上午奉命集中各警署候命，以便隨時出動。昨午在維園集會，市民出席演講有十人，大部分是指責港府各部門出現貪污行為，需要全體市民，一致行動，始能將此問題杜絕，並將葛柏引渡返港。」

反貪污捉葛柏

維園集會未生意外

下週續在摩士舉行

【本報訊】「反貪污捉葛柏」運動，下週日再在摩士公園舉行，主辦團體今晨再度向警方申請，批准再往摩士公園舉行集會，而昨日之兩次示威遊行集會，均無意外發生。

籌劃及推動「反貪污捉葛柏」示威遊行大會負責人稱：十三個反貪污聯合團體，今晨九時卅分，前往警務處申請，批准於下週日（九月二日），再在摩士公園舉行示威集會，同時並於下星期舉行記者招待會，以對論百里渠報告書，及反貪污部獨立的意見，並邀請法律界人士參加。

在昨日早上摩士公園出發的示威遊行，參加者約一百人，而傍晚的維園集會，則有四百人參加。

由於摩士公園示威未獲警方批准，警方可能隨時採取行動，拘捕或檢控違法者，九龍區全體警方人員昨上午奉命集中各警署候命，以便隨時出動。

該十三團體昨日分別在港九舉行，在兩處和平示威遊行集會中，未受警方干預，除一些警探隔在人羣中外，只有少數軍裝警察的踪影，參加示威都表現得冷靜，早上之示威在大雨中和平渡過，而晚上的集會亦無意外發生。

上午時，因大雨滂沱，摩園集會無法舉行，主辦者臨時將項目改爲遊行，經黃大仙、橫頭磡區各處街道，一直遊至慈雲山新亞書院止。

昨日下午六時，在港島維多利亞公園舉行的「反貪污，捉葛柏」集會，如期舉行，出席者約有四百人，沒有警員踪跡，據記者觀察，一般防暴隊較早時在銅鑼灣法庭候命。

大會原定由六時開始，至下午七時四十五分結束，由於發言[illegible]寥無幾，故於下午七時二十分，主持人宣佈散會，昨日上下午兩次集會並沒有意外事件發生。

昨午在維園集會，市民出席演講有十人，包括一名醫生，剛自倫敦來港的英籍女教師、小販及自稱是學生、工人、文員的男女青年，他們發表的談話，大部分是指責港府各部門出現貪污行爲，需要全體市民，一致行動，始能將此問題杜絕，並將葛柏引渡返港。

大會二百名糾察員，在集會上派發傳單，並要求市民簽名，引渡葛柏返港。

參加維多利亞公園「反貪污，捉葛柏」集會之群眾。（本報記者呂國榮攝）

一九八九年

我敬佩的四叔

去聽靚次伯先生演講，給了我許多啓發，也更增我對這位老粵劇表演家的敬慕。

我稱他表演家或藝術家，而不稱他作藝人，因為我覺得稱「藝人」實在不夠尊敬，也沒法子表現他老人家在粵劇界的成就。當然，我許多時候還是親切地叫他四叔。

那天，一個文化中心請他去演講，講的是他從事粵劇表演的經驗和體會。可是，很湊巧，他老人家卻已病了兩個星期，為了免聽眾失望，竟堅持帶病出席。在掌聲中，他步履蹣跚走上講壇，還沒有坐下，他已經支持不住，扶著牆壁、掩著額在喘氣，阮兆輝攙扶他坐下，只見他清癯臉上蒼白得很，手也發抖，全場變得鴉雀無聲，我相信大家心裡的擔憂是相同的。坐定了，他抬起頭，擺擺顫抖的手，說：「沒事，沒事。」射燈照著他明亮閃耀的眼睛——就是在舞台上，我們慣見的光芒，但我們還是擔憂。他開腔了，依著後輩阮兆輝的每一發問，他緩緩地憶述自己幾十年來走過的歷程。怎樣對住鏡子苦練那一口鬚整整三年長，怎樣向不同專長的名角偷師，怎樣細緻揣摩六國大封相公孫衍坐車的心態和動作，說到某些動作，他竟然雙手舞動。大概開講十五分鐘後，四叔聲音愈來愈響亮，精神大振，雙手也不抖了，說話既有感情，又見間中幽默，我們也忘掉了剛才的憂慮，樂在其中。

八十多歲老人家，集中精神，投入自己一生事業中所發揮的威力真大，既克服了病痛，又吸引得別人也同時投入他的境界，這種老而彌堅的光輝，實在叫人敬佩。

兩個多小時過去，四叔帶著微笑，在我們掌聲中步出會場。他拱手為禮，我想，他一定明白，我們完全敬佩他，特別是他那老而彌堅的精神！

——刊一九八九年八月《耆康報》12期「南山小品」專欄，作者署名小思。這是「南山小品」第一篇，專欄至一九九一年六月號止。

證

❖ 一九八九年五月十一日《大公報》頁九：〈靚次伯講武生發展　中華文促會將舉行　門票廿元現已開始發售〉

❖ 一九八九年五月二十四日《大公報》頁五：〈靚次伯談武生藝術　改期下月廿四舉行〉，內文報道：「香港中華文化中心宣布，由於颱風影響，原定上周末（五月二十日）舉辦的靚次伯主講的『粵曲粵樂茶寮』講座第二輯，未能如期舉行。『靚次伯——粵劇武生行當的藝術』決定改期至六月二十四日下午三時至五時在中心演講室舉行，仍由武生靚次伯主講，阮兆輝回應，黎鍵主持。」

靚次伯講武生發展
中華文促會將舉行
門票廿元現已開始發售

【本報訊】香港中華文化促進中心主辦的「粵曲粵樂茶寮」，五月份邀得享譽藝壇數十載的武生王靚次伯出席，主講「武生行當的藝術發展」，講座由黎鍵主持，阮兆輝擔任回應。

靚次伯原姓麥，行內人稱「四叔」，今年八十七歲，他十二歲投身戲行，先在「祝華年」班學戲，後加入「頌太平」、「人壽年」等名班，五、六十年代在「仙鳳鳴」與任劍輝、白雪仙合作，八十年代仍為「雛鳳鳴」台柱，繼續以精湛的功藝活躍於舞台上。

四叔靚次伯在「頌太平」班任第二武生時已嶄露頭角，不久即加入「人壽年」班任正印武生，自三十年代起，已有「武生王」的美譽，他早年以飾演《龍虎渡姜公》中姜大公一角聲名鵲起，又以飾演《六國大封相》中公孫衍的「坐車」絕技與[illegible]齊名。他的「車功」特色在三下落腰近地，單腳大翼旋功，時評譽為其台風功架「獨步一時」，盡顯一代武生王功力。

是次講座中，靚次伯將親自講述粵劇武生行當的技藝訓練與歷史發展，並論其本人的坐車功藝，會上將放映幻燈片及播其早年戲曲電影中精采片段。

五月二十日（星期六）的「靚次伯——粵劇武生行當的藝術發展」講座，定於下午三時至五時在中華文化促進中心演講室舉行，票價二十元，學生十元，現已開始售票，名額有限，先到先得。

一九八九年

命中注定

忽然，有人指摘香港是一個反革命基地，嚇得許多香港人揑一把冷汗，這個罪名足以死人無數，於是「走得嘅就好走」的說法最動人心弦。

其實，讀點歷史，就知道：香港命中注定，一向就是某些政權眼中的反革命基地——或透徹點說是反動基地。現在不妨試羅列這些歷史「罪證」，反正要算賬，必須算到底。

辛亥革命前，在滿清政府眼中，香港自然是個不折不扣的反動基地，最不該培養了孫中山，這點不能抵賴，因為一九二三年，孫先生在香港大學演講，也親口承認：「從前人人問我，你在何處及如何得到革命思想？吾今直言答之：革命思想係從香港得來。」（原文見《華字日報》所載《國父於香港大學演講紀略》）而整場推翻滿清的運動，重要策劃機關都設在香港。現在到中環士丹頓街十三號去還可看見興中會舊址的紀念銅牌。當年省港一衣帶水，多少香港人向東主告幾天假，就回到祖國參加起義，有些從此一去不返，有些負傷歸來，養好傷又再出動。一箱箱軍火自香港運去。以上種種，只要翻開馮自由寫的《革命逸史》，便一清二楚了。

一九二二年的香港海員大罷工、一九二五年的省港大罷工，都是令香港政府頭痛，而共產黨津津樂道的歷史事件，當年一搞，港英執政者心目中，香港真是個搞事基地。

一九三七年抗日戰爭開始，香港鄰近南中國，交通方便，正好用作宣傳抗日基地，多少宣傳書刊，由香港印刷寄出，學生抗日示威，小販義賣籌款、市民捐獻抗日基金，宋慶齡主辦「保衞中國大同盟」，天天有話劇團歌詠團演出抗日愛國節目，恨得日本執政者牙癢癢。等到一九四一年侵佔了香港，還被本地人組成的游擊隊把許多重要「動亂分子」，通過新界偷運回到安全地帶，這都是證據確鑿。

一九四七年前後，國共內戰爆發，大批國民黨政府眼中的動亂分子逃亡到港，辦報辦學，文化人在文章裡蔣匪美特罵個沒完沒了，結果聲勢太大，弄得港英政府不好過，只好通過緊急法例，把動亂分子遞解出境，但一連串起伏不斷的罷工潮，還是顯示了「反動」的勢力。

六十年代，香港人節衣縮食，油糖衣服大包小包扛去郵局，寄回家鄉救命，在當時宣稱形勢大好的執政者心中，又一次以行動造祖國的謠。一九六二年，據說不知何故，大陸人大舉越界逃亡，香港人也「不分皂白」，帶備乾糧藥物，漫山遍野跑去拯救那些毫不相識的中國同胞。崇基學生，得了地利，出動全校師生，協助偷渡同胞進入市區，成為一時佳話，令新亞聯合同學面目無光。一九六八、六九年的「反英鬥爭」，翻開當年《大公報》，仍可見斗大紅字標題：愛國同胞血洗花園道。在港英目中，香港又成了「反動基地」！

一九七一年香港學生保衛釣魚台舉行大示威。釣魚台是中國領土，給日本侵佔，但大陸台灣執政者還沒有香港人那麼急，可見香港人的「反動」本質。一九七三年連一向循規守法的教師，也「反動」得罷課請願。學生的「捉葛柏反貪污」運動，更令香港政府必須切實面對難題。……

讀歷史說因由，總覺香港人一向身世不明，卻自然而然的對中國充滿莫名關切——用上「莫名」一詞，只因從沒有甚麼人教育我們要怎樣愛國。凡對中國有害的事，香港人就自然反應地反動起來。香港作為「反動基地」，協助對中國有利的政權，收留某些人眼中逃亡者，已經有百多年歷史紀錄，這些賬都有歷史家算過，而且光明正大，無愧於家國。到如今，被視為功利為重的香港，仍然在某些人心中是反動基地，那怎能不算命中注定？

——分上、下兩篇刊一九八九年八月二十九及三十日《星島日報》副刊「七好文集」專欄。

致柏林圍牆

一九八九年

今夏，我錯過了到你腳下的機緣，但願這封信，能讓你知道一個中國人的心情。

太遙遠，無論在地圖上，還是以年代計，你其實太遙遠了。可是，我卻對你有說不出的熟悉。不是你的高度厚度，不是你混凝土身軀的僵硬姿態。每次想到你，竟從一塊土地上的鐵蒺藜開始——那時候，你還未成形，一個穿毛衣的德國女子，狂奔穿過一網鐵蒺藜，鐵刺鈎住她的毛衣，她死命掙脫了，接觸了在自由土地上給她的援手。我並不知道你是不是就由這網鐵蒺藜所在地築起來，他們說你連綿沉默得連一個缺口都沒有，一邊給噴漆塗得斑爛，記錄了無數人的思念，另一邊，頂住無邊的灰暗和冷寂。你，畢竟與那堵古老民族剩下來的哭牆不同。哭牆，是給敵人摧毀城池的殘存標誌，而你，卻是自己國人親手砌出來的。我深深相信你的心情，應該很痛苦，帶著相同血裔寫成的斑爛和灰暗，度過許多歲月，並且作無盡的等待。

假如說那真如一場夢，就讓它是一場夢罷——如果夢醒後的世界是如此美好！也許你並不理解，一個與你毫不干係的中國人，在電視畫面上，看著你被拆毀——就算小小一個缺口也好，竟然哭得如此淋漓。我想，我並不是不快樂，但卻有更多的哀傷與疑慮。我應該為你快樂，二十八年不是很長的歲月，比起四十年，它不是很長，但已經夠長了——有不少給分隔的人，在這邊在那邊，老去死去，而你，二十八年來，淒冷地站在國土上，承受著咒詛和恥辱。終於，就在一夜之間，幾乎是神話似的，在歡呼聲中，在人手和機械合力下，一個缺口打開了。人們揮淚帶笑從那邊走到這邊，V形手勢朝向鏡頭，同胞與同胞擁抱的溫熱，彷彿叫人感受得到。你，開了缺口，這象徵太重要了！

——刊一九八九年十一月二十八日《星島日報》副刊「七好文集」專欄。這是上篇，下篇刊十一月二十九日。

一九八九年

人間清月——敬悼任姐

一個道成肉身的中國書生去矣！

如此人間清月夜，逝去即成永訣，不老不死，也不過是記憶中凝鏡。

那眉宇間泛出的清俊，寒星朗月，耐不住相思之苦，自有一番癡獃情狀。追舟者撥柳看芙蕖是一癡，怒碎伯牙琴是一癡，折梅巧遇是一癡，握管寫春遊三篇未果又是一癡。偶爾的佻皮，掀起人愛恨兩重。遇強橫，驚惶失措；遭突變，六神無主，都自有他翩翩風采。

一揮袖一彈指，絕不現代，這個書生叫人傾心處就在不現代，更不現實。他的存在是在實景人生中的虛寫一筆。這一筆，山青水秀，不吃人間煙火，就把現實中的窮山惡水，完全給隔開了。

古代中國、古代中國書生，是真個怎麼模樣？說起來，山長水遠。只有他，卻翩翩在燦爛舞台上現出色相，在台下的人，分明看得清楚，笑與淚，癡與怨，都入心入肺，但畢竟又終有一層距隔。既可刻骨銘心，又能在劇終時無傷大雅，這一筆虛寫，妙就妙在這骨子裡。

這個書生，多的是柔情萬縷，瀟灑拿捏得恰到好處。瀟灑二字，得來不易。瀟灑不是流於油滑，卻也必得帶一兩分油滑，油滑中還要有七八分真情和機智，才惹得人又愛又恨。現世惡俗太甚，清風朗月，實在眾裡尋他不見，就只在舞台上，有這一段因緣。

我們這一代，感謝這一筆虛寫，由這道成肉身的書生寫就，如今，書生去矣，一代風流，從此了結，說甚麼失梅用桃代？如何取代得來？知音者從此寂寞，人間清月永成凝鏡。

一九八九年十二月五日

——刊一九八九年十二月七日《星島日報》副刊「七好文集」專欄。

❖ **證**

一九八九年十二月五日《華僑日報》頁二任劍輝訃聞：「先姑母任婉儀於主曆一九八九年十一月二十九日上午三時四十五分在港寓蒙　主寵召在世七十七載遺體奉移香港殯儀館治喪謹定主曆十二月六日（星期三）下午十二時半在該館大禮堂舉行安息禮拜隨即出殯謹此訃　侄任載德　侄媳譚福添　盟妹陳淑良（等）泣告」

送八十年代

記憶，並不可靠！

正如許多現代人一般，我按動電視機的開關掣，尋找歷史的踪影。這樣事件，那樣事件，恍惚見過，矇矓見過。熟悉的心悸，重新躁動，波濤翻掀更高更高。一秒閃動一格的快鏡，好人、壞人——終歸是一個個死去的著名人物，一秒一格，就過去了。風起雲湧甚麼的偉績劣行，結局停在凝鏡。喧鬧呼號往往給抹去，一片靜默，反叫人連一口氣也不敢透。慢鏡頭表現了掙扎、急劇動作的力度……八十年代，就這樣過去，看來容易，真是看來容易！

*

十年，拖著憂傷而艱難的步履，向前走去一個未可知的境地。

我們的地球，一面是繁榮發達，一面又貧乏愚昧。這種矛盾，正繪描了人類的悲劇。表面的文明，內裡卻襤褸破敗。頭頂藍天某處，臭氧層已經穿了孔洞，太空飛揚著科技垃圾。

腳踏的土地，沒有一寸乾淨，槍炮硝煙，人的血淚，瀰漫染滿人間。核能的洩漏、愛滋病的傳播、歷史中的黑死病，已經給比下去。八十年代，難找一片淨土、一髮清溪，日子就這樣過去了！

＊

人類，最聰明的動物，是因為懂得用生命，用血肉去寫就一頁一頁爭取權益的歷史。民主、自由，在八十年代末，翻出驚心動魄的新章。政治野心家紛紛趕及在這時刻寫下自己生命的句號，作為迎接九十年代的獻禮。人民醒覺站起來，獨裁者倉皇倒下去。將來，史冊裡，必然這樣紀錄著——八十年代的末章。

＊

送八十年代，我以悸動的心情。

——刊一九八九年十二月二十九日《星島日報》副刊「七好文集」專欄。

一九九〇 ❖ 一九九七

◇編選《許地山卷》

一九九〇年

迎九十年代

對岸十分燦爛的燈火，在紛紛雨水中，變成了千對朦朧眼睛。隔著窗，長鳴的汽笛聲、東區走廊上汽車的號鳴，也模糊起來。

踏入九十年代了！我想：應該寫一篇快樂點的文章。半年來，苦澀，是文字的主調，快樂些吧！人家都說：堅定信心，邁向九〇。

開始，我努力搜尋一些快樂、開懷的詞藻，又把它們糾纏成一段文字，抬起頭，我以自己朦朧的眼睛，遙望著對岸成千朦朧眼睛。窗裡窗外，宛如一口深不見底的井——新——年——快——樂！響著空洞的聲音。我明白，快樂也會令人流淚的，在柏林，在羅馬尼亞。不！不要再想起這些名字。迎接九十年代，應該想最接近自己的事，我應該想起我的最愛！

繼續，我努力搜尋一瞥難忘的眼神，一個熟悉的手勢，一種甜蜜的聲音，甚至一絲優雅的笑意，又把它們糾纏成一段文字，抬起頭，對岸燈火竟然更遙遠了——幾乎看不見，是雨，愈下愈大了？新——年——快——樂！雨敲著窗子。

原來，已經過了整整十年，八十年代就過去了。許多生命鑄寫成歷史，許多愛情燃燒成灰炭，面對九十年代，又會是另一冊故事了。我可以寫一篇充滿激情的祝詞，預卜未來的光輝日子，執起筆來，才知道那是多麼艱難。鼻息把窗子的玻璃遮上白霧，我用手指在上面寫：90，90，90，再呵幾口氣，字跡就淋漓了。

對岸燈火忽然流動起來，散成絲絲點點，一幅奇幻的圖畫，我眨一眨眼睛，我的腦袋完全空白。

這不過是一篇毫無新意的文字。

我好好睡一覺，在黎明時分，我會起來，切切實實過一天平凡的生活。

——刊一九九〇年一月九日《星島日報》副刊「七好文集」專欄。

一九九〇年

文藝的步履

六國飯店的懷舊

望著重建的三十層高的六國酒店，我深深感到童年往事原來又模糊卻又清晰。

究竟是甚麼年代了？應該是一九四一年之前，我曾躲在八層高的六國飯店的大堂裡，避過盟軍飛機轟炸灣仔海上日本軍艦的炮火，這幢我心目中最高最宏偉的飯店，曾靠它的堅固保住我一條生命。以後的日子裡，路過的時候，我總愛抬起頭來仰望那高高的大柱，在海濱看它，四平八穩，很莊嚴，是標準的三十年代洋式建築風格。但，六國飯店裡面，有過甚麼活動，小孩子當然並不知道，一直要到我研究香港文藝發展，從舊資料裡，才發現許多莊嚴活動在那裡舉行過。六國飯店的名字，緊緊和四十年代的中國文藝南方發展連在一起。

說起來，早在三十年代，它的名字就不斷出現在著名的文化人筆下，因為抗日戰爭逃難到香港來，而經濟能力較好的人，多住在六國飯店。但大型的文藝活動，卻要到四十年代後半葉，才在它的大禮堂出現——能坐二百多人的禮堂，在當時的香港也並不多。

著名的文藝界到飯店禮堂來，不是為了吃吃喝喝，而是為了國家民族的前途，為中國和平民主幸福而奮鬥。自一九四六年後，關心中國前途的文藝界大量南來，他們借著無數紀念日的名堂，舉行集會，顯示他們對國家命運的關切，發出他們怒吼與呼喚。

活動太多了，不能在這裡開列，我只舉出兩次規模最大的，讓我們追念當年的風光。

讓我們回到一九四七年的六月二十三日下午兩點鐘。那天六國飯店門前的海上，正有龍船划過，龍船鼓響，敲動了愛國詩人的心，他們——黃藥眠、司馬文森、周而復、陳殘雲、馮乃超、樓棲、蘆荻、黃寧嬰、周鋼鳴、李門、胡仲持……在禮堂裡紀念屈原，同時慶祝第七屆詩人節。在會中，他們更想起了被執政者逮捕了的詩人作家，當場發表了抗爭宣言，聽吧！以下是當年的聲音：

「在我們紀念偉大詩人屈原和第七屆詩人節的時候，我們對於屈原受了政治迫害而殉國，表示極大的追懷和同情，而對於我們同時代的詩人作家的被迫害，尤其表示極大的憤怒，我們對於詩人作家鄭伯奇、孟超、駱賓基、……金克木……曾敏之幾位的橫遭逮捕及剝奪自由，我們表示尊嚴的意見……他們為了要求民主，為愛國，竟被逮捕下獄，對於政府這樣蹂躪人權，摧殘文化的舉動，我們表示嚴重的抗議！我們要求把他們立即釋放。人權必須伸張，民主必須勝利，我們願為被捕的同志之恢復自由而奮鬥，為中國之和平民主幸福而奮鬥，不達目的絕不休止！」

他們在那裡朗誦、歌唱，唱出人類永恒渴求的最強音。

路過六國飯店門前的人，遇見郭沫若、柳亞子、茅盾、胡愈之、鄧初民、翦伯贊、夏衍、顧仲彝、宋雲彬、瞿白音、……不必驚訝，因為他們正要出席中國戲劇大師歐陽予倩的六十大壽，——一九四八年五月十六日晚上七點卅分，六國飯店大禮堂的座位都坐滿了人，還得臨時加了幾圓桌新座。歐陽予倩從事戲劇工作四十年，文藝界借這機會向他致敬，同時，向他們反對的執政者展示留港文化人的團結力量。郭沫若、茅盾在會中致詞，我們熟悉的盧敦也講了話。電影演員舒繡文朗誦了歐陽予倩的〈六十自壽放歌〉：

「……五十年來的慘怛，浮沉磨折無自由！願為川上橋，願為渡口舟，彼岸風光和且麗……」

中原、建國兩個歌劇社用歌聲表達了景仰之情。這是一次盛會，參加的人帶著團結的喜氣，步出六國飯店時，已是夜色闌珊了。

望著三十層的六國酒店，如今，它已經遠離海濱，在前面是寬闊大道，高聳的大廈。它也改變了，門前十根高柱，彷彿似曾相識，但又很陌生。甚麼叫滄海桑田，六國飯店，蕩漾著這種韻味。

——刊一九九〇年三月十二日《星島日報》「星辰」副刊，作者署名小思。

❖ **證**

一九四八年五月十七日《大公報》頁四：〈歐陽予倩六十生日　六國飯店內二百人祝壽　茅盾希望他再活六十年〉，內文報道：「戲劇家歐陽予倩昨天六十歲生日，又是他從事戲劇工作四十周年紀念；本港電影、戲劇、文化界人士約二百人，昨天晚上在六國飯店舉行慶祝茶會。影星舒繡文朗誦了歐陽予倩『六十自壽放歌』。」

歐陽予倩六十生日

六國飯店內二百人祝壽

茅盾希望他再活六十年

【本報訊】戲劇家歐陽予倩昨天六十歲生日，又是他從事戲劇工作四十周年紀念；本港電影、戲劇、文化界人士約二百人，昨天晚上在六國飯店舉行慶祝茶會。晚上七時許，六國飯店的禮堂便人頭擠擁；明星、作家、話劇工作者，紛紛到會向歐陽道賀。

郭沫若在席中致詞，他說：「歐陽予倩先生是我國話劇的先驅者，無論如何希望他再幹四十年，再領導我們四十年。」影星舒繡文朗誦了歐陽予倩「六十自壽放歌」。茅盾致詞說：「歐陽先生是第一個提倡話劇的人。他走這條道路，四十年來已經歷很長的途程，京劇、桂劇、電影、他本人就是一部戲劇的歷史，希望壽星再活六十年，我們慶祝他戲劇工作百年紀念，他就成為百年戲劇的活歷史。」繼由鄧初民、陳其瑗、曾昭掄、陳君葆、顧仲彝、翦伯贊、盧敦等致詞，于立羣女士朗誦郭沫若祝壽詞，中原劇藝社容思唱「祝壽歌」，建國劇藝社方熒「祝壽詩」。最後由歐陽予倩致答詞，他敘述從事戲劇工作的經過，並感謝朋友們的鼓勵。這個祝壽茶會一直在愉快熱鬧當中舉行。

一九九〇年

搬家記累

從前的人，沒有搬家的習慣，我二十歲前，沒有搬過家，據說自從灣仔填出了一條軒尼詩道來，老家就在那兒，父親常說住的地方是自海爭來的。記憶中，鄰居、同學、朋友都不大搬遷，十多年還是那些舊地址。不知道甚麼時候開始，地址本子要塗改得花斑斑，親友一一遷出灣仔地區，不久，又一一遷離香港，本子裡愈來愈多外國文字，人在游離移動，愈飄愈遠。

沒有想過，自己會在七年內再搬家。七年前，一年內帶住十多箱書、兩隻衣箱，連搬兩次，雖然有朋友學生熱心幫忙，但已覺萬分麻煩。每一次搬動，我都狠心扔掉許多心愛東西——例如存了幾十年的車票船票戲票火柴盒小玩意，其中幾百張四個數字相同的車票，更是珍貴難得。這種狠心，不是我的風格。唸中學的時候，同學間流行一個話題：如果要到一個荒島上去，只准你帶一件行李，你會帶些甚麼？我很怕這個玩意，因為我總想把所有屬於自己的東西帶在身邊，沒有取捨的可能。可是，人生經歷多了，就明白「物累」是甚麼一回事，許多時候也迫於無奈，帶不了那麼多，就得放棄了。只是七年裡，安頓下來的結果，「物累」又再積聚，搬起來真吃力。撿拾間，只覺許多東西染著一些憶念，一些感情，不是有用沒用的問題，那就更難扔掉了事。

捧著塵封大盒小盒，一一打開，裡面許多沉澱了的記憶，撲面而來。人和事、愛與恨、樂與哀，都自那些「物累」中冉冉升起，猛然醒覺，原來又過了那麼多年。我想躲開，但又忍不住看下去，在一種奇異錐心之痛與樂之間徘徊，人就顯得很疲累——身心俱累。物累情累，一般累人！

——刊一九九〇年五月二十一日《星島日報》副刊「七好文集」專欄。

一九九〇年

另說書展

人人都說書展空前的熱鬧：幾天就有二十萬人次參觀了，出乎主辦者意料，出乎參展者意料，「香港不是文化沙漠」又一有力證明。

書展成功，愛書人那麼多，關心香港文化發展的人理該欣慰，我卻有點另眼相看，不能不看出一些另類文化現象來。

一進展場，給人印象是熱鬧——工展會式生意買賣的熱鬧。特別有一兩家漫畫出版社，門面大，包裝新，一家請來許多身材高佻，短裙長髮，樣貌娟好的女推銷員，熱烈向參觀者軟語推介各種珍藏本。最初，我還以為在推銷香煙或啤酒。一家日曆出版社員工落力喊話，並送出大張年曆，吸引得大批人來「搶」。有些書店更熱情地在攤前「拉客」——一切七彩繽紛，當然還該提及的是作家坐鎮、讀者熱情了。反觀有幾家頗具規模也有聲譽的出版社，包括外國參展的，就顯得過分嚴肅，與整個會場氣氛不協調，靜靜坐著的推介員用莫名的神態對著熙熙攘攘的人流。

書展商業化，究竟好不好？真是一言難盡。

為求提高閱讀興趣，必須先從普及化入手，普及化又必須從大眾口味起步。大眾生活於商業化社會裡，習慣了接受商品推銷的方式，也只有這種訊息才可以打動他們的心弦。已經慣於逛書店、買精緻書的人，大概沒法在這展場裡獲得滿足。但平日不大踏足書店的人，居然肯來，進得會場，自覺耳目一新，大包小包買一把回去，說不定以後也學曉了逛逛書店，養成「我平日嗜好是看書」的「信仰」。那麼，書展商業化，沒有甚麼不好。但商業化容易流於庸俗，助長了劣品的威勢，又不能不叫人擔心。

人人買書看書，是一種文化趨勢，而此種趨勢，相當多是由生意人帶動——我們只得承認商人的推動力，往往把我們推入他們預設的銷售計劃裡，如果是良性的，竟可能比例如父親節、母親節等正統教育有效得多。養成閱讀習慣也可作如是觀。

看書，為消閒、為娛樂，完全合理，但當然更希望讀者能從書中得啓發，及提升人生層次。庸俗劣品，叫人不放心，就是它的負面作用，這正是有些人對流行的袋裝書憂心忡忡的緣故。生意人著眼點只在賺錢，銷售量才是他們關心的，請來美女推銷連環圖，是生意手法，而主辦者又樂見場面如此鬧烘烘，社會人士遂以書展成功為慰，真是一舉「三得」。但有心人就會擔心：這種「成功」害多利少，使嚴肅作品在眩目的商品前黯然失色，生意人得到明確指標，今後要賺錢就該怎樣辦，也使一般水平的讀者深信自己的選擇正確。這樣的書展，愈成功，誤導成分愈強。

也許，有人會認為以上所說，既是杞人又帶偏見，因為整個展場還有不少嚴肅書冊大受歡迎。其實，從會場氣氛，我們充分感受著商業化的威力，嚴肅書冊，也必須借助這種威力，才可如此風光。假如樂觀地看，這也屬於良性商業行動。在商業為重的社會裡，連書展也商業化，是一種文化現象，或許很難評定為好或不好。但那種過分渲染的生意色彩，畢竟令人覺得：精緻文化托庇於斯，暫借得一枝之棲罷了。

辦了那麼成功的書展，你還嫌三嫌四，分明不辨好歹，你究竟想怎樣？

不想怎樣，我也明白辦了總比沒辦好，只是，盼明年再見，多一點幽雅書香，少一點庸脂俗粉，品味提高，生意還可照做。

——分上、下兩篇刊一九九〇年八月二及三日《星島日報》副刊「七好文集」專欄。

❖ **證**

一九九〇年六月二十三日《大公報》頁五：〈貿發局主辦　為期四天　首屆國際書展昨揭幕　羅永燦稱港出版業產值去年逾九十億〉，內文報道：「第一屆香港國際書刊印刷展，昨日在會議展覽中心揭幕。該展覽會由香港貿易發展局主辦，為期四天。

貿易發展局副行政總裁羅永燦在開幕禮上表示，這次書展的目的，便是提供機會予本地及海外出版商向國際買家顯示其最新書籍產品。這次的書刊展覽共有一百二十五家出版商及印刷商參加，展覽攤位達二百零七個，是香港歷來最大規模的書刊業拓展活動。」

一九九〇年

新人類

每當我對年輕一代看不順眼的時候，我就很害怕：自己真的「老」了，不了解年輕人，代溝令我對他們產生成見，這是我很不願意遇上的事。跟同輩朋友說起來，他們也不例外，總認為真是一代不如一代。

怎麼辦？香港新一代竟這樣令人不開心！原來，那不是香港人的問題。於是，我接觸了一個新名詞，叫做「新人類」。據說日本學者堺屋太一研究結果，在六十年代中葉出生的一代，由於社會環境安定，一般經濟也走上軌道，成長過程中沒有遭受大變動大挫折，深受父母關愛，物質享受豐盛，就構成了與上一代完全不同的性格，這一代就是「新人類」。

這代人有五個特點。第一是對絕對價值的標準懷疑；奮鬥、努力再不合時宜，只求舒服享受人生。第二是處處顯示自我，不分男女都要在衣飾、行動各方面表現出眾。第三玩樂重於工作。第四是與一切人保持距離，不要動真感情。第五是對自己，只講求個人感覺，單憑愛好去決定一切。我們依據以上五個特徵，看看許多年輕人，就明白果然是這樣的。

另一個日本學者扇谷正造依此理論，具體告訴我們，青年人因此變得知識淺薄，口齒不清，說話無厘頭，一於要好玩，天地狹小但又要自我表現、追求最新名牌消費……這就是世界性的新人類了。

我列舉了以上資料，是想「安慰」一下跟我一樣看不過眼的人，證明不是我們頑固不通，而是我們必須明白，新的一代也身不由己，社會環境、心理狀態，令他們變得與上二代完全不同。如此，我們大概可從學術角度來理解、諒解他們，也不至於因樣樣不順眼而激死自己了！

——刊一九九〇年八月《耆康報》18期「南山小品」專欄。

一九九〇年

多市第一夜

我眉宇之間的惆悵，就留在炭筆素描像上，由多倫多街頭，帶回香港我的書房裡。

七月末梢，一個多風清涼的晚上，移民不久的友人帶著我去逛夜市——不知道那算不算夜市，在多倫多一條最長的街上，店舖都關了門，店內燈光依然亮了，透射到行人道上來，年輕的外國人三五成群，閒閒踱步的、坐在欄杆上談天的、稍稍喧鬧地追逐的，還有一兩個老年人站在街角，不知道在演講還是高聲說話。對香港人來說，如果這就算是夜市，那真是一個笑話。我並不計較甚麼，反正熱鬧場所我不去，但求在街上散散步而已。

拐了彎，在寬闊的行人道上，聚了一群人，在外國常見的街頭藝術家，正替人繪畫人像。熱鬧旅遊點有這玩意，一點不出奇，但在這店舖都休息了的長街，九點多鐘的晚上，我很意外。我走近人堆，那被繪者年輕光彩飛揚的臉和朗朗笑聲，成了焦點。她的朋友逗她笑，果然是張漂亮的快樂的臉，畫差不多完成了，炭筆在唰唰唰，作最後潤飾。這時候，我的視線接觸到畫家的背影：好熟悉的黑短直髮、灰色布外衣、……腳上塑料涼鞋——肯定的大陸來的中國人！

畫畫好了，畫家站起來，謙卑地遞上畫，笑了一笑——四十多歲的婦人，古老塑膠眼鏡玻璃片後的眼睛有點失神。外國人嘰嘰呱呱在說著些甚麼，女孩子很滿意，付了二十塊錢。畫家抬頭看到我——另一個中國人，站在旁邊看她，先是有些疑惑，然後笑了笑。「是從中國來的嗎？」她對我的問題有點遲疑，「嗯！」我趕快說：「我是從香港來的，是個教師。」「甚麼時候出來的？」「去年六月五號。」「噢！」……沉默令我急得找話題：「畫得很好，哪兒畢業？」「浙江美術學院，潘天壽校長，——」對話就這樣開始了。

我從沒有坐在街頭給人造像的經驗，因為我覺得難為情。但，那天晚上，幾乎沒有考慮，「好！給我畫一張吧！」我坐在小摺椅上，把我的朋友嚇了一跳——那不是我的作風。一坐下來，畫家凝神看我第一眼，我就給一種難言的凄涼瀰漫了。很難解釋那種心境，是同情她，讓她在異國街頭，這一晚上多賺二十塊錢？因為她跑出來，由學院派變成街頭賣藝者，我對她的藝術表示一點尊崇？因為我們都是中國人？……十五分鐘，真難過。我不敢接觸她的目光，夜風吹過長街，旁觀的人喧鬧如故。

畫好了，我驚訝畫中的自己竟如此愁苦。「老師，匆匆的，畫得不好，就送給老師留個紀念吧！」我羞澀地把二十塊錢塞進她掌中時，竟有正在侮辱她的歉意，冷不提防她這樣拒絕，更加強了我的罪疚感。「日子難過啊！珍重才好。」我近乎語無倫次，一面強行把錢塞進她手裡。錢，終於收下了，「老師，不好意思。我給畫鑲個紙框，方便帶回去。」她低下頭，蹲在地上加紙框。就在這時候，我看見淚水一大滴一大滴落在紙框上。

她鑲好了紙框，把落在上面的淚水抹去，站起來，這時候，是兩個中國人的眼光在近距離接觸著，她滿眼淚水未乾。把畫遞給我，猝然，她擁著我，抽泣地說：「老師，謝謝你，老師！」

在多風的清涼長街上，兩個全然陌生的中國人，相擁而哭，不再說一句話。我們心底明白，這是中國人才會流的淚。

九月要來了，多倫多街頭要冷起來了，流浪的中國畫家不能再在冷風中討生活，她說會到餐館去洗碗碟。

祝福你，假如，這祝福有效的話，請接受我在遙遠的祝福。

——分上、下兩篇刊一九九〇年九月三及四日《星島日報》副刊「七好文集」專欄。

❖ **證**

老師的畫像，見一九九〇年十一月十六日《星島日報陽光校園》頁九。

朗朗校歌聲中

錢賓四老師追悼會上，全體唱校歌，唱到「手空空，無一物，路遙遙，無止境……」我已泣不成聲。身旁友人事後輕聲對我說：「錢先生高壽而去，又已立言立德，可算無憾，你何必這樣傷心？」友人一番好意，可是他並不明白，我哭的原因。

甚麼是新亞精神？我這個僅僅及錢唐之門的新亞人，其實知得不多。月會上、課堂裡，聽老師講話，看他們行事，桂林街往事實在朦朦朧朧。只隱約中體認他們「亂離中，流浪裡」承擔中國文化的兩肩重擔，悠長歲月過去，不知不覺間，又感到擔子已移到自己肩頭。近幾年來，國事港事，驀然回首，竟然對肩頭重擔生了疑心——為甚麼擔子愈來愈重？有不勝負荷之感了。別人也在提出無數問題，對全盤中國文化質疑。我試圖努力追隨人家腳步，反省慎思，可是，往往力不從心，迷亂在紛紜的眾說中。究竟這千斤擔子裡有沒有糟粕？如果有，該由我們這一代來撿拾一番，扔掉它是時候了罷？向前行，前路究竟又是條怎樣子的路？一切疑惑，驟然升起，就只覺神思惘惘。

惘惘中，我想念前輩在亂離中，艱險奮進，困乏多情，義無反顧創校傳業，那是多麼廣大的胸襟，而自己，現在竟然對這下傳的事業，猶豫起來，就更加慌張了。新亞人，該怎麼當？又有多少後來人，當得起？

我不知道別的新亞人怎樣想，每一次想到錢唐兩師的逝去，每一次唱起新亞校歌，我就覺得一個時代已經逝去，而我們卻還沒有魄力，承得起前輩傳下來的燈火，不但接不住，甚至不想接住。儘管歌聲嘹亮，也只不過是歌聲而已。

我們這一代，為甚麼承不起千斤擔子，接不住傳燈？每一次想起，我就慚愧。前輩生逢亂世，真的手空空無一物，但他們卻以廣大胸襟，懷抱中國文化。他們的情注在中國生命裡。我們呢？幾十年來這小島上，安頓無憂，成家立業，手中物一天天多起來，名和利一年復一年把人纏得緊。我們擁抱著屬於自己的東西，我們的情只為個人牽繫，我們的淚只為個人得失而流。過於珍惜自己，人自然變得老謀深算，再沒有青春氣息。這樣，如何能挑得動千斤擔？如何結得成隊向前行？

錢先生五十五歲，投奔海隅，從無到有，創立新亞。而我們，還未到五十五歲，就已經盤算著該怎樣攜家帶產，怎樣提早退休了。也許，這真是個尊重個人的時代，文化擔子為甚麼偏偏要我來挑？跨國文化比單國文化更廣闊。一切考慮，已經完全不同，我們有我們的新擔，另有應走的前路，新亞精神已成為歷史名詞。

正因為這樣，在朗朗歌聲中，我彷彿看見前輩艱難身影，挑著千斤擔子，用盡青春，在長路上遙望，遙望，後無來者……而我們，沒有把擔子接好，只是低著頭唱著：「手空空，無一物……艱險我奮進，困乏我多情……」這怎不叫人慚愧？

也許，有些新亞人並沒有這種感覺，因為他們根本就不認同這擔子應由他們來挑，甚至說擔子裡不是甚麼好東西，更有些人對錢唐兩先生不滿。我也相信，擔子裡不盡是好東西，錢唐兩先生不是完人，但我更相信擔子是應該由我們來挑的。

忽然，覺得自己挑不動，有愧於心，就在朗朗歌聲中，泣不成聲了。

——分上、下兩篇刊一九九〇年十月十五及十六日《星島日報》副刊「七好文集」專欄。

❖ 證

一九九〇年十月一日《華僑日報》頁五：〈著名中國史學家兼新亞書院創辦人　錢穆追悼會昨舉行　遺體本月中在台灣火化　骨灰年後送返家鄉土葬〉，內文報道：「中文大學為著名中國歷史學家兼中文大學新亞書院創辦人錢穆的追悼會，昨日在香港舉行，錢穆在大陸及台灣的親人皆有出席。……追悼會的程序包括向錢穆遺像行禮、默哀、致悼辭、唱新亞校歌、奏哀樂等。……錢穆乃江蘇無錫人，生於一八九四年，曾在大陸任教多間著名大學，包括燕京大學、北京大學等。一九四九年來港，不久便創辦一間私校，以招納流亡至港之青年，亦即日後的新亞書院。一九六七年到台北，定居外雙溪，著述不絕。本年八月三十日在其新遷之杭州南路寓所逝世，享年九十六歲。」

一九九〇年

另一種印象

想起錢賓四先生，永遠記得的是一臉神采飛揚，九十多歲，還是那麼神采飛揚。只是，去年四月，他留給我另一種深刻印象。

去年四月末梢，我到台北去開研討會。啓程前一夜，在銅鑼灣店舖裡，看到剛運來的杭州蓴菜，瓶裝的，飄著柔柔卷曲的綠葉，我想錢先生大概很久沒吃過了，就買了兩瓶。

在外雙溪素書樓裡，錢先生坐在靠椅上，失去往日常見的笑容，神情木然，雙目平直望著遠方。師母說，近月來錢先生不大講話，吃得也少，每天就這樣坐著。從前還會聽聽電台新聞廣播，現在也不聽了，偶然由師母轉述一些，也沒多大興趣聽。我知道錢先生剛給女兒錢易去台省親的波折困擾得很，曾經病了，又拒絕進食，現在恐一時還沒康復。我和師母就在他身旁坐著，我們談香港近事，自然也談到大陸事情。那時候，天安門廣場正牽人心神，但台灣新聞界的反應並不那麼熱切，我就把香港知道的告訴師母，說著說著，偶一回頭，竟看見錢先生在流淚，嚇得我趕快把話題止住——我並沒有想過錢先生也在聽我們談話。轉換話題，就扯到帶去的兩瓶蓴菜上去。「怕用上防腐劑，最好先用清水浸透才煮湯，……這該是今年春天新生的，很新鮮……」我還未說完，錢先生清亮的聲音響起：「這是我家鄉的名產，是吃的時候了。」清清楚楚，他說了這兩句話，一個小時裡，他就只說了這兩句話。他低下頭來看著瓶子，用手摸摸，又再抬起頭，回復木然神色，雙目平視著遠方。

那是錢先生那天唯一說過的話，想不到也是我聽到他說的最後兩句話。

——刊一九九〇年十月十七日《星島日報》副刊「七好文集」專欄。

一九九〇年

燈飾

有那麼一天的黃昏，西天遙遙暮色轉暗，雲邊淡紅也開始消隱，我坐在窗前，正喝下一口清茶。

尖東燈飾，驀然亮起。

一幢、一幢……一幅、一幅清晰彩圖亮起。因為遙遠，圖畫在閃爍裡，顯得又清楚又曚矓。很難分辨七色，砌成了一種顏色的整體，晶光嵌在黑灰的夜空，邊緣還透著曖昧的光環。我嗅到糖果的甜味，應該是多樣果汁糖的甜味，彷彿誰吃了一大堆果汁糖後，閃耀的彩紙揉成一團，扔在那裡。

我舉起手指，試圖在眼前的玻璃上，沾染一些遙遠的色彩，然後再深深喝一口清茶。

*

一個有涼風，卻並不冷的晚上，九龍公共汽車的上層，有人把迎風的窗子關上。

沿著長長的彌敦道，向南駛去，上了一些乘客，又下了一些乘客，他們紛紛——談論日間瑣事，或者斜肩睡去。

彌敦的燈飾，構成長條又偶爾彎曲的燦爛河流。車子逆流前進，水花迎面四濺。衝開，卻又衝不開，是車子的感覺。由於近，我側頭看窗外，還能見到行人步履，彩旗飄揚如夢。輕舟未過，大廈峽谷，排列的仍是一些日間都市的面顏。

我陷在這眩目的河流裡，三十分鐘，沒有回過頭來看留在後面的光亮，一直到車子進了海底隧道。

*

倚在大會堂海傍欄杆上，光與色，淋漓撲面而來。我忽然想起燈光背後還有山，但山，又給幢層疊廈遮去了。一盞燈一個故事，誰在燈下，素手如玉？

無人會憑欄意，今夜，燈光如斯燦爛。

——刊一九九〇年十二月十九日《星島日報》副刊「七好文集」專欄。

《豐子愷漫畫選繹》再跋

一九九一年

二十年後重看這本書，心情十分矛盾，既覺得它很蒼老，又覺得它很稚嫩。

二十年來，香港變化很大，人的心思、感情也改變不少。讀者作者恐怕都已不慣這種迂迴婉轉的老筆法——在風中月下踱步沉思的日子，太古老！一切追求快速跳躍，講究即時效應，忘記過去，不想未來，憐取眼前人，也不過捕捉莫名的剎那快感，這是香港生活寫照。作為不離不棄的香港人，我已學會了從多種角度去衡量一切人和事，不覺間已懂配合都市節奏，調整了自己的感情。從好處看，可以說是成熟老練了，從壞處看，卻是天真不再。驀然回首，才驚覺自己的心境，曾經如此美麗過。正因這樣，多少年來，我對這本少作，依然有一種難言的偏愛。何況，引出這些文字的是豐子愷先生的漫畫，仍然滲透永恒的純樸與溫厚，靜靜如一泓碧翠，反照日月，萬物關情。也許，看慣舞動出格連環畫的人，會笑它的凝定姿態，但這並不妨礙畫家赤子之心的牽繫。

九十年代的都市人，誰還會愛它？

會不會？有人在公務之餘，春秋歲月裡，偶爾在風中月下踱一回方步？有人在極其世故的人事匆匆後，稍一回頭，看看曾經稚嫩而溫婉的面容？有人在對歡笑顏晃動中，突然記起最愛的憂傷眼神？或者，甚麼都不是，只是一次機緣巧合，它有一兩句話中了你的意。

為了這樣，我下定決心，讓它重現色相。三聯書店願意出版，並請得豐一吟女士題簽及書名，上好的紙，精美的印刷，熱心人的協助，成全了它。

我深知今夜故人不來，但我仍風中佇立，因為——我確信愛它的故人仍在世間。

一九九一年元月於香江

——刊《豐子愷漫畫選繹》，香港：三聯書店（香港）有限公司，一九九一年。

一九九一年

？

一個十歲的孩子，由高空向地面下墜、下墜……他的身軀就在短短一剎那接觸地面，他的生命該承受了多少不可承受的輕？承受多少不可承受的重？我們聽見許多不同版本的故事，我們聽見許多不同的指摘和檢討，我們痛惜和驚訝，但，之後又怎麼樣？

有人認為教師該負責任，有人相信家長也難辭其咎，有人說該增加學校社工人手，可是，誰都沒有追究：十歲孩子為甚麼想出一個這樣的解決辦法——死？

在人世間十年，連「生」是怎麼一回事還來不及認識清楚，是誰告訴他，死，是解脫？是逃避？十歲孩子，面對委屈、責備、侮辱……應該而又合理的反應是：反抗！

跳下去！這一動念，是在甚麼時候早躲藏在小腦袋裡？訓導主任的責備、見家長、記過……一切委屈——如果真是委屈的話，該有多少孩子承受過？為甚麼這個孩子會如此反應，假如，沒有這一次事件，他活到二十歲，再十年間，他能逃過多少次委屈，而免於一死了之？我這樣說，好像太沒愛心，太不近人情了。事後紛紛說話的人，都是有愛心的，但他們總把問題看得太近、太片面——我們香港人實在太習慣這種「近視」，輕易把罪過轉移到最近的人和事上，忘記追根尋源。

孩子死的根源何在？教師、家長、學生缺乏溝通？教師沒有職業操守？家長罵得太兇？……為甚麼不是整套教育設計的失敗？為甚麼不是整個社會情勢不合理？教育——社會和學校教育，為甚麼有一線縫隙，讓死亡念頭把孩子拖下去？

——刊一九九一年三月二十五日《星島日報》副刊「七好文集」專欄。文題刊出時編輯改成〈孩子緣何自殺〉。

❖ **證**

一九九一年三月七日《華僑日報》頁四：〈擅闖校務處記缺點　小學生含冤跳樓亡　家長上校理論跪地痛哭場面一度混亂〉，內文報道：「一名十二歲小六男生，日前被老師吩咐代購飯盒，及後老師不認賬，男生反被校方指違反校規被記缺點，疑因此含冤不白，男生昨晨在沙田顯徑邨寓所卅五樓跳下。」

一九九一年

等一等

許多朋友家裡都裝置了傳真機，眾口稱許這科技發明的偉大與方便。他們都奇怪，平時最勇於試用新科技的我，為甚麼還沒有加入他們的行列。

科技發展的步伐愈來愈快，各種成品改進也快，以往可能一年出產一項新型號，現在幾乎一個月就有改良品種。甚麼電器買進門，好像還未熟習它的用處，報上又有新品廣告。新的東西，總比舊的好一些，不是功能多了，就是使用起來更方便。例如我買了一具輕型手提攝錄機，已覺十分滿意，友人遲一星期，買進新型號，就多了立體聲收音、避手震器。這種情況，似乎愈來愈嚴重，不急於用的，我決定還是：等一等。

傳真機、手提電話，就屬於「等一等」的項目。這兩種工具，的確方便，但目前仍在發展改進中。傳真機，傳真程度不斷增強了，可是，第一種可用普通紙的新款，也不過到最近才面世——必須用普通紙，我才會買，這是我決定的。手提電話，從前型號，大如水壺，貯電器又笨重，又快用光，拿在手裡，多一種負累。現在輕薄袋裝出現了，但接收仍未自如，價錢昂貴，我既不是工作需要，又非忙於交際應酬，何必趁趕熱潮呢？還是等一等！

生當今世，科技實在太神奇，工具實在太方便。幾年前，怎會預計私人電腦、影印機、傳真機、手提攝錄機、手提電話……竟是尋常用品？我們有幸得見可用，並且獲得極多方便和助力，就千萬不可錯過。我說等一等，是希望能用上稍已定型的東西，私人用的小型影印機，就差不多定型了，（？）用了三年，還不見令我動心要換新的品種，這就不必再等了。

——刊一九九一年四月二十六日《星島日報》副刊「七好文集」專欄。

一九九一年

一對鳥的故事

藍豬快要死了，看著牠急急喘氣，一天比一天憔悴，這是我意想不到的。對於藍豬，我很矛盾。牠是唯一我親自由雀仔街買回來的一隻雀。矇豬自窗外無端飛來後一個星期，我怕牠孤單，決定為牠找一個伴。那天下午，到雀仔街去，先打探彩鳳雌雄的分法——七年來，為了矇豬，我幾乎變成彩鳳專家，最初我卻連雌雄都不辨。在幾十隻彩鳳堆在一起的骯髒鐵籠裡，我一眼就看中藍豬，因為牠沒有跟別的雀堆在一塊，獨個兒站貼欄邊，顧盼自豪的樣子，加上毛色鮮明，靚得緊要。雀販伸手入籠，牠上下飛撲，但還是很快就給捉住。帶牠回家，打開紙袋，牠竟不肯進籠，我用手指撩撥，牠發狠咬我一口。擾攘之際，矇豬自籠門探頭進紙袋，細細叫了幾聲，藍豬就跳出來進了籠。

其實，我這樣放新鳥入籠，已經犯了很大的錯誤，通常舊鳥是地主，新鳥闖入，總會被打得甩毛折翼。矇豬並沒有欺生，只是有點好奇，整天站得貼近藍豬，低低地叫。幾天過後，藍豬適應了新環境，開始上下飛動一下，胃口相當好，但惡性也發作了，儘管矇豬怎樣討好牠——矇豬斯文，是最顯明特性之一，偶爾不留神，藍豬就會「失驚無神」大力啄牠。矇豬從不反抗，不吭一聲，仍然站在附近。

日子過得快，牠們熟絡了，早上傍晚，就會親熱的反哺，看來牠們真是天生一對。觀察這一對鳥，讓我明白夫妻關係，實在不簡單。日後，矇豬對藍豬的細意呵護和無盡的容忍，而藍豬那種不假辭色的冷漠，甚至拒人千里的惡意，令我深深感到很對不起矇豬。

藍豬對人對事不信任，反應動作也因此十分遲緩。我說牠遲緩，其實有點不對，牠是有所待，萬樣事都等矇豬做了嘗試了，牠才跟著做。一直以來，牠就只信任矇豬，這該由牠初學飛出籠外飛返籠中那一次說起。

星期天早上，我們總會打開籠門，讓鳥兒自由進出，在客廳飛來飛去。藍豬初來，門打開了，牠不敢出來，矇豬早已在外邊打了好幾個轉，回頭見牠還未動身，就回到籠裡陪牠一陣，在牠身邊細語呢喃，然後進出鳥籠三次，示範給牠看。終於藍豬也飛出來了。可是，牠太慌張，一頭撞到櫥櫃的玻璃上，再撞到地上，矇豬趕快飛到牠身旁，陪牠一起飛，兜轉一回，才帶著牠飛回籠裡，這是我無法忘記的一幕：矇豬教藍豬飛進飛出。以後的日子，甚麼噪音異動，矇豬總會在第一時間護在藍豬身旁，雖然很多時候，矇豬自己也驚魂未定，牠仍先飛到妻子身邊才繼續喘氣。

矇豬永遠先吃第一口粟後就讓給藍豬去吃個飽，自己待在旁邊，不會爭吃，讓牠坐最好的位置，不會佔坐。藍豬倒像份該如此的，很不客氣。牠常常用力啄矇豬，對矇豬毫不理會。我叫牠「木雀」，儘管矇豬在旁邊興奮唱歌，牠竟可以紋風不動，不望矇豬一眼。我常說對不起矇豬，就是竟為牠找了一隻這樣無情的伴侶。

六年來，矇豬已經過慣對住「木雀」的生活，親熱反哺搔癢的時候愈來愈少，但細意呵護的態度卻沒改變。矇豬去後，藍豬一直沒有甚麼反應，依舊木然坐著，可是一兩星期過後，我才察覺牠起了變化。

我說對藍豬的感情變得很矛盾，除了因為牠對矇豬不好之外，還有就是我愈來愈討厭牠，特別在矇豬嘴角患了腫瘤、病情嚴重期間，牠竟嫌棄了，不讓矇豬親近，更常常用力啄這可憐的伴侶。好幾次，我伸手進籠打牠，矇豬卻勉力跳來扯我的衣袖。矇豬如此愛牠，我也只好收起對牠憎厭之情了。矇豬去後，別的同伴，都顯得不安和沉默，牠一向沒表情，我總以為「傷逝」與牠無干。

木然坐著，是牠一貫的神情。可是，一兩個星期過後，牠開始長時間的把頭埋在背後羽毛中睡，偶有聲響或人影閃動，牠就驚惶飛撲。平日，牠總愛獨佔高枝，細細整理那身鮮藍、層次分明的羽毛。挺直軀體，顯示著唯我獨尊的儀態。現在，羽毛疏鬆，眼睛常常失神開閉，有時會身體平放，像躲避甚麼似的。慌失失，這個廣東詞彙，最能描繪牠近幾星期的表現。氣喘得愈來愈急，細幼的毛也脫落不少，背上羽毛失去光澤，吞食粟粒困難，吃一口停一陣。想起矇豬對牠的萬般憐愛，如今俱往矣，我忽然對牠同情起來。

失去倚傍，沒有慣常護住自己的伴侶，藍豬慌張了。我並不知道雀鳥有沒有回憶能力，如果有的話，牠一定會想起矇豬在身邊的日子。也許，牠還會後悔當日對矇豬那麼不體貼。也許，牠會在夢中，偎著矇豬那身燦綠。也許……旁人實在無法估計牠倆的真正感情。

看著憔悴損瘦的藍豬，正倚在籠邊，閉目喘氣，我心隱隱作痛。矇豬，我無能為力了，就等於我對你的無能為力。

這是一對彩鳳的夫妻故事。

——分上、中、下三篇刊一九九一年五月十五、十六及十七日《星島日報》副刊「七好文集」專欄。

參

❖ 五月十五日文章剪報旁作者附記：五月二十五日藍豬死了，葬於矇豬之側，合塚以慰矇豬之靈。

❖ 自心愛的鳥——矇豬死後，我一直心難平靜，每次執起筆，都想寫牠。但：一隻與我關係如此親密的小鳥，該怎樣描繪呢？七年來，牠有那麼多不可思議的表現，該寫哪一件？七年來，牠帶給我們的愉悅，那麼細細碎碎，積聚起來，也只有牠去後，才轟然讓我們察覺：連牠的八隻同伴，都不安而沉默了。

——小思〈真性情〉，見一九九一年四月二十四日「七好文集」專欄。文章剪報旁作者附記：一九九一年三月二十四日矇豬去世，葬於聯合胡忠草地上。

❖「我很喜歡貓的，因為牠有自己的個性，但後來我父親去世時，所養的貓也無故失蹤了，從此便不敢再養貓了。後來又飛來一隻彩雀，牠很聰明，……我已很久沒養動物了，雖然很想再養，但現在我怕的不是牠死，而是我死，留下牠怎麼辦呢？」「所以愛也真的要付出很多，也許我是有點恐懼，因為生死的問題太早纏繞著我，我的父母都在我年幼時相繼去世，很突然。正因為生死這回事不是人所能掌握的，所以我更應好好地活這分鐘，那就無愧了……」

——張麗瑜〈與三千五百隻貓同眠——中大中文系高級講師盧瑋鑾（小思）〉，見一九九五年六月二日《香港商報》C6「人物定鏡」。

❖誰又料得到，差不多二十年苦行憎的修為，到頭來因為一隻注定前來討債的小小彩雀「矇豬」，竟然一下子崩潰下來。小思不是不知道寵物的壽命肯定比人類短。但「他」硬是要自己飛來，有甚麼辦法。當「他」病重的時候，不能咬穀進食，小思只好每天撥出四個小時，剝開穀殼，親自餵食。直至上天最後安排，她終於又一次可以從這個「注定前來討債的感情枷鎖」逐漸解放出來。

——陸離〈細數小思多情事〉，見一九九一年九月二十七日《快報》副刊「快意」。（陸離文附圖：小思和矇豬）

小思和她的彩雀「矇豬」

與師無尤

回想起來，從小至長，我有幸遇到許多好老師，他們各有不同教授方法，也各有個性。從他們身上，或多或少，或深或淺，我學到一些畢生受用的「學問」，萬一學不到，也只因自己受不住磨練，沒有學到底的恒心。我是個中文科老師，可是一手中文字卻見不了人。說來有愧，我先後跟隨過三位名師學藝，長久以來，我都不敢說出來，怕的是有辱師門。但從自己的失敗，正好說明學生該負的責任，也反映了老師自有一套教法，學生學不成，也許無緣，也許懶惰。

大學一年級，去修曾克耑先生在藝術系開的書法課。不料上課兩個月，每一節，曾老師都要我們在一張紙上，密密麻麻寫「一」字，寫得我頭昏腦脹。每一次辛辛苦苦，寫成了幾百個「一」字，只有一兩個「一」字的起筆或收筆，獲得老師點頭，其餘報廢。我懶惰，這一科就不了了之，但同門的捱過「一」字關後，人人都能寫得一手好字。大學二年級，曾老師忽然要我去跟他的朋友林千石先生學書法。這一回，林先生要我寫的是「一行白鷺上青天」。隸書，寫得很吃力，但總算似模似樣。寫了幾個月，林老師外遊，沒有人督促，我就停下來。到了大學畢業，當上中文教師，用毛筆批改學生作文，醜字無可遁形，又下定決心，去拜馮康侯先生為師。不再寫「一」字，卻要寫自己的名字，我沉不住氣練字，馮老師說你不苦練是過不了關的，不跟我學寫字，有空來我家坐坐，看看人家的字也好。從此我寫不好字，卻學懂了看字。每一位老師都有一套教法，學生過不了關，與師無尤。（師說之二）

——刊一九九一年六月二十八日《星島日報》副刊「七好文集」專欄。

參

❖「師說之一」題為〈師徒關係〉，分上、下兩篇刊一九九一年六月二十四及二十五日「七好文集」專欄。

一九九一年

師道包裝

世界急劇變化，新人類在新時代生活，無論思想行為，都不能再與上一代比較。例如民主自由、人權觀念，在我唸中小學的時候，根本可以說一無所知。因此，現在看起來，我們接受的教育，特別我所念念不忘的嚴師教授方式，實在違反現代教育方針，也不符合民主精神。

我當了教師以後，最初十多年，教學態度幾乎努力跡追嚴師路向，以為這叫薪火相傳。結果是學生的確極「乖」，可是，漸漸我明白，他們的「乖」是因為「怕」，而不是因為「明白道理」。他們「聽話」而不是經過思維分辨的自主，有些心裡不服氣，表面仍恭順，這都不是教育應有的精神。慢慢，我知道我那一代的師徒關係，已經追不上時代，必須修正。

怎樣修正？修正多少？真費煞思量。我的老師所持的許多準則、道理還是永恒的，但有些也因時移勢易，不宜強從。更重要的是包裝問題。現代人講「包裝」，這觀念必須注意：好的舊準則，用舊包裝，人家覺得老套，用新包裝，就變成新潮。要「包裝」就很傷腦筋，甚至有時為了「包裝」而忘了實際內容。於是我得用心了解學生所處的環境、社會風氣、新一代的愛好與思維方式，用他們的話講他們應聽的道理，用他們的愛好引導他們走上應走的道路。萬樣事先由他們角度去設想，盡量叫自己不與他們過於脫節，……許多時間就用在這些事情上面。

面對大學生，雖然大可不必再考慮甚麼「包裝」，但講授方法，仍得以學生為本，這是自己唸書時沒有過的概念，要收效，只好又再用心設計。

我既成了與新一代打交道的人，就要用新方法，但效果卻未見得好，每當反省，總覺無奈。也許，正因這樣，我念念不忘那些不講究包裝的嚴師。

——刊一九九一年八月二日《星島日報》副刊「七好文集」專欄。

嚴師

遇上嚴師，是我之幸。

記憶中第一位嚴師是敦梅學校的莫敦梅老校長。他沒有直接在課室裡授課，可是天天巡查，管教學生的一言一行。我小學一年級，就給他罵了兩次，直到現在，我還銘記於心，不敢犯錯。

由於戰爭關係，和平後才唸書的人，多沒有唸幼稚園，我也不例外，一進學校就唸一年級。糊裡糊塗，不懂甚麼學校生活，只隨著大隊上課下課。那時候，每天上早會，學生立正唱國歌、校歌，行升旗禮。我個子矮小，排隊總得站在第一排。有一天，會後給校長截留下來，罵了一頓，說我立正姿勢不正確。一年級初入學小孩子，不知道「立正」，老校長罵了一頓後，就教我怎樣才是「立正」，還說唱國歌校歌升旗，都是很重要的——後來升上高年級，我才明白這是尊重國、校的禮儀，也是自尊的表現。自此一罵，直到今天，我每遇這些場面，一定雙手垂下立正，看見別人雙手放在背後，或站立姿勢不好，就很不舒服。

留心一下，文明禮儀也很講究升旗、唱國、校、社歌時立正姿勢，好像只有香港學校沒有注意教這一套。

另一次受責，是小息時間，在走廊中與校長擦身而過，沒有站好鞠躬——是鞠躬，不是點頭，沒有尊師的應有禮貌。自此，我對師長，總是站定行禮，自然敬意也自心底出來。以上所述，現在人們看來，可能覺得我迂腐可笑，甚麼立正鞠躬，簡直封建冬烘，但我卻覺得在這行動中，自有端正心思的作用。莊重，由裡到外，對人對己，都有好處。如果不是具備誠敬，很難處事待人。許多文明國家，推行自由民主，還是十分重視禮儀，並不會視守禮為老套。小時候，嚴師沒對我講大道理，可是一罵之後，終身謹記，日後自明白行為背後的精神，也就受用無窮了。

——刊一九九一年八月九日《星島日報》副刊「七好文集」專欄。

頻頻回頭看甚麼

小學二年級，我遇到另一位嚴師：陸錫賢先生。今天，我說話有條有理，就由陸老師自小二至小六年級苦練出來結果。

據說陸老師是全廣東省演講比賽多屆冠軍，在敦梅學校擔任訓導主任之職，同時也負責訓練學生演講技巧。小二那年，我在班中故事堂得了高分，就給選拔出來受訓。學生受訓，為了在每年畢業典禮中代表致辭，或代表學校到外邊去參加比賽。陸老師很嚴謹，我們只不過小學二年級學生罷了，他卻像少林寺老和尚對待徒弟般管教我們。從眼神運用、站立姿勢、雙手擺放、聲調高低、咬字發音、表情神態……一一細練——是天天對著他練，做得不對，得從頭來過。還有隨時指定題目，只準備五分鐘就要宣講，如果講得不合格，第二天又輪番再講，因此，練就我們講話不敢吞吞吐吐。

陸老師對我的影響最深，是五年級那一年。我給選作代表參加全港小學演講比賽，那時不如今天，學生沒有很多機會出外見大場面，到了會場，我已魂不守舍，代表得坐在禮堂前排座位上，陸老師卻坐在後座。孤零零在陌生地方，我不自覺地頻頻回頭看陸老師，找尋一點安全感。演講完畢，我得了個冠軍，走到陸老師身邊，滿以為獲得讚賞，誰料，他扳起面孔，先指出在台上出錯或以後該注意的問題，然後說：「你頻頻回頭看甚麼？在外邊，靠不了老師，應該有自信，平日教給你的，你自己應變運用。將來，老師不在你回頭看得到的地方，你怎辦？老師在你心裡，才有用。你頻頻回頭看甚麼？」一連責問了兩次「頻頻回頭看甚麼」，事隔四十年，我仍清晰記得他的聲音。從此，我守著他的教訓，台上台下，心神都往前看。

也許，有人會認為這很不合兒童心理學，但，對我來說，畢生受用，也就夠了。

——刊一九九一年八月十六日《星島日報》副刊「七好文集」專欄。

參

❖ 作者小學五年級成績表，評語欄稱：「知禮，守紀，勤學，負責，足為同學楷模；而演説超人，猶其餘事耳。」（許迪鏘攝於二〇一六年九月中文大學進學園「曲水回眸：小思眼中的香港」展覽）

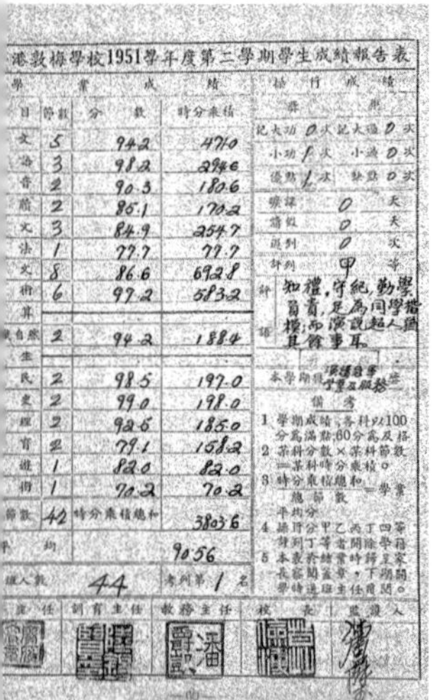

港敦梅學校1951學年度第二學期學生成績報告表

學業成績			
科目	節數	分數	時分乘積
文	5	94.2	471.0
[illegible]	3	98.2	294.6
音	2	90.3	180.6
[illegible]	2	85.1	170.2
文	3	84.9	254.7
法	1	77.7	77.7
文	8	86.6	692.8
術	6	97.2	583.2
算			
自然	2	94.2	188.4
生			
民	2	98.5	197.0
史	2	99.0	198.0
理	2	92.5	185.0
育	2	79.1	158.2
遊	1	82.0	82.0
術	1	70.2	70.2
節數	42	時分乘積總和	3803.6
平均			90.56
人數	44	考列第	1 名

操行成績	
記大功 0 次	記大過 0 次
小功 1 次	小過 0 次
優點 1 次	缺點 0 次
曠課	0 天
請假	0 天
遲到	0 次
評列	甲 等
評語	知禮，守紀，勤學，負責，足為同學楷模；而演說超人，猶其餘事耳。

備考

1 學期成績，各科以100分為滿點，60分為及格
2 某科分數×某科節數＝某科時分乘積。
3 時分乘積總和÷總節數＝學業平均分
4 操行分甲乙丙丁四等，評列丁等者開除學籍
5 本表於結業時發呈家長察閱蓋章，下期開學時送班主任覆閱。

級任	訓育主任	教務主任	校長	監護人

一九九一年

記住何紫

何紫逝世了！

一位與我同齡的人。我們的童年，同在灣仔的天空下，飽受貧窮和戰火的煎熬，艱難地活過來。和平了，我們同進敦梅小學唸書，學做人道理，學懂許多知識，沒有玩具，我們卻愛讀雲姊姊的書……就是這樣，我們長大成人。

童年時代，我們並不認識，但我很早就讀到他寫的文字和編的書刊。直到有一天，我們在蘇恩佩的辦公室裡見了面。談些甚麼倒記不起來，只是臨別時彼此交換了電話號碼。

有一天，他撥電話來說約個時間見見面，想談些出版的事。就在會面的時候，他告訴我山邊社出版計劃。那個時候，中小學生的課外書少得可憐。本地化意識開始高漲，硬要學生接受二三十年代中國作家寫的東西，作為閱讀起步，並不適宜。身為老師的，談到無書可推介，只好唉聲嘆氣。何紫認為這是自己動手出版的好時機，就憑個人能力，辦起山邊社，出版系列叢書。從此，為中學中文老師解決了一個大難題。

以後的日子，他活躍於兒童文學推廣、創作、鼓勵後進、中港文化交流……把生命凝聚成一強力焦點，他在燃燒自己！

他病發之後，我只去醫院探望過他一次——只有這一次。他臥在床上，竟然帶病在趕看徵文比賽的作品。我不知道該說些甚麼，艱難活過來的人，對生命自有極珍惜極嚴肅的要求，也明白生命該怎樣掌握。何紫正在掌握那些有限時光。

我深深相信，他日，談起香港兒童文學的人，一定提起何紫。他為香港年輕讀者開拓了美麗的閱讀園地，人們不會忘記他！

——刊一九九一年十一月十八日《星島日報》副刊「七好文集」專欄。

❖ 證

一九九一年十一月六日《大公報》頁十：〈兒童文學家何紫病逝　定本月十日早上舉殯〉，內文報道：「兒童文學家何紫於本周日（十一月三日）清晨六時十分在瑪麗醫院病逝，享年五十三歲。何紫原名何松柏，廣東順德人，童年時遷居香港。二十多年來一直在香港多份報刊上撰稿及寫專欄，同時致力兒童文學創作及研究。八一年創辦山邊社，出版普及讀物。八六年創辦《陽光之家》月刊，兼任主編，直至九一年七月因病重而停刊。」

一九九二年

忠靈塔

◇任香港中文大學中國語言及文學系高級講師

我十分明白，博物館不等如歷史教科書，不能樁樁件件歷史都詳細道來，但說明文字過分簡單，說了白說，就失去陳列品的意義。「香港故事」中的「三年零八個月」時期，牆上懸著一幅手繪彩圖，說明文字只有「忠靈塔」三字，相信四十歲以下的香港人，大都不會知道那是甚麼東西，漫不經心的人可能連那圖片也錯過了。

忠靈塔，是香港淪陷三年零八個月的恥辱標記，不少香港人為它賠上生命。這座建在金馬倫山上的奇怪建築物，一直深刻留在我的記憶裡——童年的我，住在灣仔，每天抬起頭來，就看見它，從一九四三年十二月它興建，到一九四七年二月它倒塌，我整整對了它三年零兩個月。到現在我還記得清楚一九四七年二月二十六日下午四時卅分，震天巨響後，塵土飛揚中，它塌下的姿勢，當然我更記起為建它而犧牲的人。

日本人佔領香港後，整個「大東亞戰圈」的南方局勢已定，為了收葬戰死日軍遺骨，決定在香港興建骨灰藏所，作為「聖戰紀念」。選定地點是港島中部金馬倫山頂——在中央，人人抬頭可「瞻仰」。建築費香港人捐，石材也就地取採：現在帆船酒店與鄧肇堅醫院一帶是個石山，徵用大批壯丁趕工開採了大石塊，運上山去應用。匆匆建造這所骨灰所——忠靈塔，為了安慰無數日本亡魂。可是，無辜的香港壯丁就給拉去鑿石運石，死傷的不計其數。鄰居有個大孩子，十六七歲，平日總愛逗我玩，我叫他昌哥昌哥。他給我摺紙船紙飛機，是寂寞童年珍貴的玩具。忽然好幾天不見了他，鄰家傳來哭聲，母親說昌哥給大石壓死了，那是為了建忠靈塔。

要找忠靈塔資料不困難，只要翻閱一九四七年二月二十六、二十七日報紙就可以了。《星島日報》記者鍾鎏裕更拍攝了它炸毀前後的連環圖片。它既是「香港故事」的一頁，補寫說明，是應該的。

——刊一九九二年一月十三日《星島日報》副刊「七好文集」專欄。

證

❖「香港故事」常設展是博物館多年來辛勤努力蒐集、保存及研究工作的總展示。

——香港歷史博物館網頁簡介（按：作者參觀的是香港博物館，館址位於九龍公園，一九九八年四月易名香港歷史博物館，七月遷至尖沙嘴漆咸道南現址。）

❖一九四二年十二月八日《香港日報》頁三：〈英靈不滅千古長留　忠靈塔　舉行地鎮祭　菅波閣下闡述建塔意義　會中情緒至為壯烈肅穆〉

❖一九四二年十二月八日《華僑日報》頁四：〈忠靈塔地鎮祭　今午舉行　址在金馬倫山〉，內文報道：「為安慰參加香港攻略戰之忠勇將士英魂而興建之忠靈塔，塔址經擇定在金馬倫山高地興建。今日適為大東亞戰爭一周年紀念，下午二時舉行忠靈塔地鎮祭（按即中國名詞奠基禮）行禮如儀後，開始鋤土動工，並將特製之劍（按即附圖之忠靈塔御鎮物便是）埋藏土中，隆重肅穆之地鎮祭儀式遂告完成。」

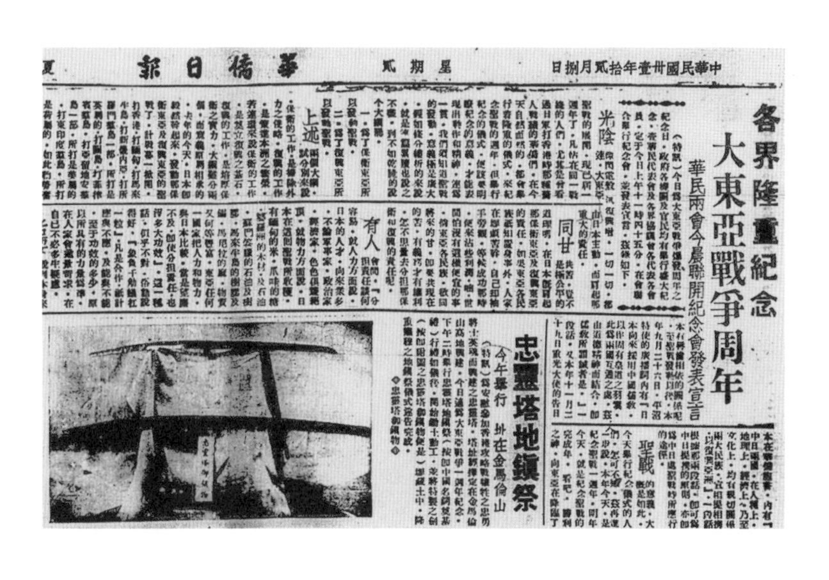

中華民國卅壹年拾貳月捌日　星期貳　華僑日報

各界隆重紀念
大東亞戰爭周年
華民兩會今晨聯開紀念會發表宣言

忠靈塔地鎮祭
今午舉行　址在金馬倫山

❖ 一九四七年二月二十七日《工商日報》頁三：〈清除日寇遺蹟　忠靈塔　昨日爆炸情形〉，內文報道：「本港居民，此後望上金馬倫山，抑或在過海輪船，望來本島各山頭，已不見巍然兀立之所謂『忠靈塔』矣。昨日四時半一屆，只見山頂白煙起處，此一高塔之上半截突向後擺，旋即隆然巨響（按此為聲波比光波行慢之物理作用），白煙掩蓋整個山頂，歷四分鐘。」（網上圖片：忠靈塔炸毀一瞬。錄自 http://twpcentre.weshare.hk/oceandeep3000/articles/756931）

❖ 忠靈塔炸坍事，我兒時目擊清楚，與群童佇目、瞠目、呆目；驚訝結舌，叫嚷，但不懂得拍掌歡呼慶祝。

——二〇〇九年八月二十七日關禮雄律師致友人函。關律師為香港史研究者。

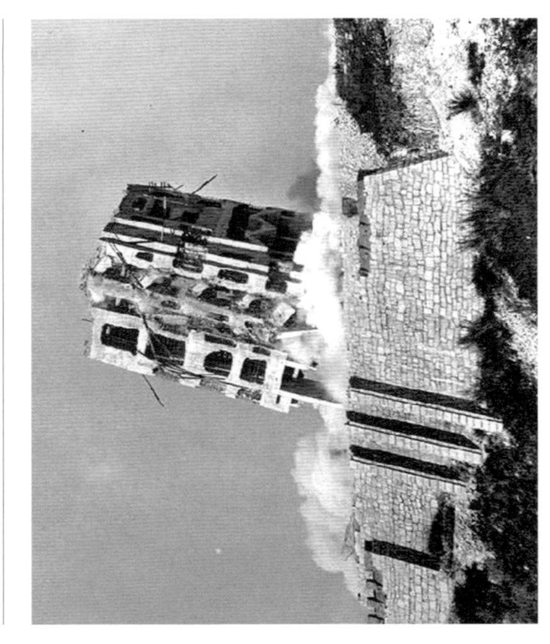

紀念高伯雨先生

一九九二年開始不久，一連幾位老前輩去世，坐在殯儀館裡，但覺歲月如飛，作為後輩的我，許多事情還沒有做好，有負老前輩所望。

香港掌故專家高伯雨先生，於一月二十四日去世。他對我的香港文學研究，指導良多。記得當年，我冒昧登門求教，他並不以我的無知而拒，反一一細意指示。特別在日治三年零八個月的那段敏感時期，許多人和組織，到今天仍有人「忌諱」，不願提不敢提。高老先生卻先主動向我提及，並指引了重要線索，讓我掌握資料，對當時文化界動態，可作公允觀察。將來如能寫好香港淪陷時期文學史，都是高先生之功。他在世之日，我沒有當面言謝，也未及時寫好這段歷史，請他斧正，實在是我的錯失。

另一件憾事，是我沒有趕得及把他的書——《聽雨樓隨筆》暢銷一事告訴他。以他的文名，晚年要出版一本書，竟屢遭波折：以他自己的話來說，「三次受厄，可謂奇遇」，其實也是香港出版界的奇恥。書終於面世，他還得擔心發行問題，怕多餘銷不去的書，家裡沒地方放，最後幸得林道群先生聯絡，香港三聯書店的幫忙，才解決難題。「意料之外」的，書十分受讀者歡迎，不及半年，已經售罄，還一連上了暢銷書榜——上甚麼榜，我想他不會在意，只是可給勢利眼的出版商一點他們在意的顏色。這個消息傳來的時候，高先生已經在醫院中陷入昏迷狀態。他的女兒在電話中告訴我他去世的消息時，哭著說：「這暢銷事，早一點知道就好。」是的，就是遲了。在靈堂中，對著高先生遺照，我默默禱告，盼能以這遲來訊息，以慰在天之靈。

高先生幾十年寫日記及剪存報刊不絕，晚年記憶、思路都很清晰，整理他的日記，出版他的晚年文學，對香港研究應有幫助，不知道有心人在否？

——刊一九九二年二月二十一日《星島日報》副刊「七好文集」專欄。

❖ 證

一九九一年七月《聽雨樓隨筆》版權頁及執行編輯林道群在扉頁的題字。（網上圖片）

聽雨樓隨筆

高伯雨 著

一九九一年當時還在三聯書店工作，業餘註冊了這家出版社，是聽小思老師說高伯雨年紀大了，想以最快速度出這本書，以了他多年未能印書的願望，這也成為我能一睹高先生風采的難得機緣。

林道群

聽雨樓隨筆

著者 高伯雨
執行編輯 林道羣
責任校對 施淑娟 曾憲冠
出版 社會理論出版社
九龍郵政總局信箱七二四一七號
發行 三聯書店（香港）有限公司
香港中環域多利皇后街九號
電話：五二三〇一〇五
初版 一九九一年七月
國際書號 962-7535-03-6
定價 港幣三十八元

澄清一件事

說起高伯雨先生出版《聽雨樓隨筆》的事，出版前一波三折，他在書中後記已經詳細交代。但他去世後，有專欄作者在追悼文章中，相傳該書乃得「多位好友資助」，才能成事，對於這個傳說，我想有澄清的必要，因為這樣說，有負了高先生兒女的一片孝思。

由我來澄清，也是必要的，事件經過，我最清楚。近幾年來，高先生常提起出書的事，一九九〇年尾，他的身體已經大不如前，他對我說想自資出版一本書。我深信這是他最後心願，如果找出版商承擔，恐多費周章，自資，倒是一個最快捷的辦法。打價結果還算合理，我就請林道群先生代為策劃和辦理。清樣打出的時候，高先生健康日壞，不斷進出醫院，本來他堅持自己校對，也無法完成。就在這時候，我接到他兒子高季平先生的電話，說知道父親要出書，兒女都想為他完成心願，希望代他出資，並囑我保守「秘密」，讓事成之後，才給他老人家一個驚喜。這是一件很令人感動的事，我自然答應。付出版費用的支票是由高季平先生親手交給我，因此，《聽雨樓隨筆》一書出版，不必由「好友資助」，而是出自兒女孝心。

一九九一年九月二十九日晚上，高先生在銅軒設宴，和家人友好歡聚。在席間，他一再說起兒女為他出版的事，欣喜之情，洋溢於眉宇之間，這是令我難忘的。

這本書，由於製作過程有些技術錯誤，出版後才發覺，增加了高先生訂正的麻煩，我希望他日有機會再版，能作重新校對訂正。本來，高先生在出書前，想出版上下兩冊，後來由於成本關係，我勸他先出一冊。看來香港還有具識見的讀者，出版修訂本，相信是可以的。在此盼高先生後人能夠續成其事。

——刊一九九二年二月二十二日《星島日報》副刊「七好文集」專欄。

一九九二年

淒涼感覺

聽李天命演講，他說到一樁自身經歷：童年見過乞丐在他家門前，用開水淘冷飯，吃得霎霎有聲，從此，想起獨自吃飯，把飯扒進嘴裡，就有很淒涼感覺。

我當下一喜一驚！

我也有一樁童年記憶，跟吃飯有關。那種感覺，一直纏繞著我，幾十年扔不掉。從來不敢向人提起，還以為只是個人的怪病。如今知道，別人同樣會給某種感覺纏住不放，當下一喜。

香港淪陷，米糧不足，我每天只得半飽。有一天，我到父親工作地方去——他在一間酒莊門外擺小攤，代人寫信。正逢酒莊夥計吃午飯，酒莊做日本人生意，米糧來源充足，只見夥計擎起多角大碗，盛滿熱騰騰米飯，人人用力扒進口裡。白煙裊裊，彷彿我也嗅到飯的香味。從此，每當我路過店舖，遇到夥計圍著桌子吃飯，又見他們扒飯進口裡，我就自然嗅到飯香——很甘甜的香，無論離得多遠，都可感到，立刻就會滿心淒涼。

幾十年來，生活尚算豐足，自己盛飯吃飯，從沒有覺得飯香，也不明白為甚麼看見別人吃飯會感到凄涼。現在一想，才知道童年的生活匱乏，那種飢餓感覺，竟然潛藏心底，歷久不散，當下也就一驚。

儘管凄涼感覺不好受，但那股記憶中的飯香，卻遠遠比真實的飯香惹人好感。有時路經中式老店舖，看見人家「用膳時間」牌子掛起，我總會徘徊一下。

如果這是心理補償，又未必說得過去，因為依補償之理，我應該大口大口吃飯，而不應重溫凄涼感覺。大概也只有這感覺，提醒我記住：我們一輩怎樣艱難活過來，今天豐足，自當珍惜。

——刊一九九二年三月三十一日《星島日報》副刊「七好文集」專欄。

一九九二年

怪論？

「我又唔係神仙，我點知道……」

這話出自掌管香港神聖政策的高官大老爺之口，為的是說明：要千萬學子冒風雨上學，非他之責，更非他之罪，他——只是平凡人一個，又唔係神仙。

我沒有資料，不知道我們納稅人每年得付出多少錢財，請得高官來代策代行，負起小民百姓性命攸關的許多責任。不過，我們一直不會妄想請得個神仙來幫忙——咁容易請神仙咩？盼只盼請得個有點聰明為民設想、有大件事時肯認真負責、即時有點反應的官吏而已。讀書明理，早就曉得「先天下之憂而憂」的官是不存在的，那只是范仲淹先生的理想造型。香港人不至天真得以為可以請神仙下凡保祐。可是，多次不大不小冒風雨上學的危險經驗，積少成多，唔使神仙，都知道應該怎樣應變了罷？

「我又唔係神仙，點知道你哋唔使神仙呀？」

哎唷，忘記了高官有兩招，一叫死不認錯，一叫死都拗番生。還有一絕，乃是赤膊上陣，赤膊方便塗油，遇上擔子，一於卸卸卸，卸則無咎。

寫到這裡，忽然覺得自己態度不對，因為平日面對出自同一高官的許多「唔係神仙」決策，不作一聲。今天，為了芝蔴小事，大概看見議員們罵得熱鬧，一時興起，也來參加打落水狗行列，未免沒有人情味。但回心一想，今回何故為此小事動火？原來事出有因：一向，對於高官許多為政府精打細算的「橋」，雖然對小民一益百害，我還以他是個「人」，人則有賢愚賤不肖，千慮一失等等可恕之處。誰料，他一直以為我當佢係神仙，於是，我的信心受到打擊，一下子就失去溫柔敦厚，寫下似怪非怪之論一則。

——刊一九九二年五月十三日《星島日報》副刊「七好文集」專欄。

❖ 證

二〇一八年五月八日《明報》〈二十六年前超級豪雨　促成暴雨警告系統〉，內文報道：「一九九二年五月八日的暴雨在早上出現，但教育署未有即時宣布停課，而是在下午才宣布；以致學生要冒險上學，又有人因水浸或山泥傾瀉而無法回校。時任教育署長李越挺備受抨擊，後來在立法會回應質詢時更辯稱『我唔係神仙』，無法看到全港情況以決定停課。」

一九九二年

「打機」經驗

走進電子遊戲機中心去看看，果然是另一個世界！畫面的豐富、動作的真實、品種的多樣、格鬥程度的激烈，一切都已非我想像中事，而玩的人的投入，彷彿他們已變成遊戲機的一部分了。

令我走進遊戲機中心去看看的原因是：一天，幾個男學生和我聊天，他們忽然說起「打機」來。很悶，所以只好去打機，一打幾個鐘頭，甚麼都忘記了。他們說的時候，表情有些奇特，既有得色又有等待。大概他們要在這個老古董老師面前，表現一下新一代的生活模式，同時試探我對此等「無聊」玩意的反應——或者反感程度。

嘿！他們就不知道眼前人，正是第一代打機英雄。

遠在二十多年前，日本遊戲機初面世，在日本本土，也不是成行成市，款式只有公路賽車、空中大戰、海底攻掠、地對空追擊。我最愛玩的是公路賽車，那時，沒有打爆機的術語，但卻有獎：凡破該機紀錄，可獲再玩一局，我就是每玩一局都可獲獎一局的人，而幾年前，我玩激光遙距射擊，仍可玩一局而獲獎一局，叫旁觀者驚訝不已。

正因我玩過，我深切明白「打機」的吸引力。可是，學生口中的「機」，已經不再是賽車、戰爭那麼簡單。暴力、色情、各具個性的戰鬥人物、多樣化設計，吸引力和挑戰性遠遠超過當年，難怪年輕人「一玩不起」、「萬念俱休」，唯打機是務了。

我記得自己打機時的忘我忘形，記得在機前走過心癢難耐的痛苦，但我更記得下定決心說不玩就不玩，一旦超生的快意。百般滋味嘗遍，才是成長過程。

——刊一九九二年八月一日《星島日報》副刊「七好文集」專欄。

參

❖ 一邊是道貌岸然的大學教授，嚴肅謹慎的研究者；一邊是孩子氣的觀察者，貪玩貪新鮮的浪遊人。「我真的很喜歡玩呀。」是的，她愛玩電子遊戲機，沉迷過盜墓者羅拉，每天起碼要玩上一個小時，射擊跟高速賽車遊戲，更是她的超級強項，拿滿分，易如反掌。「有次見自己『打機』玩賽車遊戲好，於是決定學車去，一開車，師傅說我開車太快，是的，我把遊戲帶到真實，很危險，最終學車事情當然告吹。」

——羅展鳳〈小思　腹有思書氣自華〉，見二〇〇四年十月十五日《松柏之聲》「人物掃描」。

一九九二年

靖國神社內外

十年前後

一九八二年八月十五日，我站在東京靖國神社參道上，看日本首相鈴木善幸以「內閣總理大臣」身份，正式參拜他們的「英靈」——成為一九八五年中曾根康弘以首相身份參拜的伏線。那一年，還有「竄改教科書事件」正鬧得如火如荼。回港後我寫了一篇《靖國神社內外》，文章裡，我這樣說：「靖國神社是個最能顯示日本侵略野心的溫度計。」

一九九二年八月十五日，我又站在靖國神社參道上，這回，首相宮澤喜一、內閣官房長官都沒有出席，卻有十五個內閣大臣來參拜。今年，是「中日邦交正常化二十周年」，是日本國會通過日本可以出兵海外，而自衛隊已經正式成為聯合國維持和平部隊一分子，踏足島國以外的東亞土壤了。回港後，我仍要寫一篇《靖國神社內外》，老生常談，一晃十年，仍然要談，也不知談到何日？

八月十五日，上午十一時過後，上了年紀的日本男女，穿著素衣，紛紛朝靖國神社走去。

參道旁小攤陳列了參拜用品和紀念品，其中最矚目的是寫上「萬古流芳」四字的紙扇。

高校生、少年團隊到祭的人數，跟十年前沒有多大分別，但顯著不同的，是退伍老軍人隊伍增加了。他們許多穿上全新的軍服，意氣昂揚的，在軍官及旗手領導下，列隊操到神社前，吹響軍號，舉槍致敬。「大日本帝國海軍」的字樣在他們的帽沿閃著金光，穿便服的也雄赳赳唱起昔日軍歌。有一小隊擎著一枝殘破不堪的海軍軍旗，引來不少人拍照，而老人也沉湎在昔日的「光榮」中。

在那些老兵隊伍之外，有一小隊人很特別，有男有女，有老有少，手持白幡，說明反對日皇訪中國謝罪，他們臉色凝重——十天之後，他們大可一展歡顏了，因為中國政府保證「無意令日本尷尬」，日皇不必道歉，謝罪更不用提了。

十二時正，號角吹響，全社內外人群在軍令口號中，肅立默哀。老年人仍不少在悄悄擦眼淚。參拜禮成，人群慢慢離去，但臨時書攤還擺在那裡，《日本無罪論》，仍有顧客。

激動昭和史料

逛書店，最能看得出一個地方的文化面貌，神田書店街，依舊沉沉實實開在那兒。八重洲書店中心、丸善總店、紀伊國屋書店仍然人山人海。今年，看來日本人正流行著恐龍熱、舊地圖熱，還有易經、星相書刊也擺在當眼處。八重洲書店中心設了專櫃，太平洋戰爭史籍和戰爭錄像盒帶，是重點展出。

走過的書店，都看見世界各國、日本本土的舊地圖複印本，但在一個不顯眼的角落，卻發現了令我驚心動魄的東西：《激動之昭和半世紀史料》。

那是一套日本人繪製的地圖複製史料。自八十年代初就陸續出版了，到目前共印了二十五種：全是日本三十年代侵佔東亞各地的地圖，其中除了中南半島、朝鮮、平壤、東亞全圖外，其餘都屬中國境內的。

從前聽老一輩人說，日本人畫的中國地圖，比中國人畫的更要詳細。打開一九三七年日本人繪的《大上海新地圖》，我真激動得手心冒汗。

滿洲、新京、奉天、哈爾濱、大連、旅順……一頁頁，都屬於人家激動之昭和半世紀史料了，日本人真是念茲在茲！

我想買滿洲、哈爾濱地圖，都脫銷了，也許，東北情意結還牢牢在日本人心中。

怎麼辦？

八月二十五日，中日兩國政府同時宣布日皇、皇后接受中國邀請訪華，一切為了睦鄰友好合作！侵略、屠殺、慰安婦問題……比起目前經濟政治支援的需要，已經不再重要，「中國無意令日本尷尬」，又一次「以德報怨」。

八月三十一日，香港重光紀念日，電視播出街頭訪問，年輕人若無其事地說過去的事何必再提。他們知道多少過去的事？他們有找尋歷史真相的欲望嗎？他們不知道，所以不激動。我們該責怪誰？

中國人，平平靜靜讓一切過去！

日本人深切知道過去的光榮與恥辱，靖國神社內外，滿是大東亞激動之情！

怎麼辦？

日本戰敗四十七年後，可以驕傲地對美國人說「不」。中國人戰勝四十七年後，也可以對日本說不——不必道歉！

我彷彿看見東條英機的陰魂在靖國神社內外微笑。

怎麼辦？

一九九二年十月

——刊一九九二年十月《明報月刊》總 322 期，作者署名小思。

❖ 參．多說幾句

整套《激動之昭和半世紀史料》，一頁頁全是日本境外別人的領土圖。細數數卻多屬於中國的。激動！誰該激動？我記得在東京書店中初翻閱時，就告訴自己：千萬別激動。繼以冒了汗的手去掏腰包，拿錢付款買下日本出版的地圖。半世紀！那延宕不絕政治動靜，何只半世紀？我們中國有這樣的史料嗎？原來有。一九四七年上海商務印書館出版了由趙曾儔、吳相湘、李兆垣等九人編纂的《抗戰紀實》。抗日紀錄，也血跡斑斑，可是有多少人讀過？

二〇一五年十一月

——文末按語，見小思《一瓦之緣》，香港：中和出版社，二〇一六年。

一九九二年

故事

六十五歲的姊姊和六十六歲的表姊，坐在我家的客廳裡，童年往事、遠親近鄰的生老病死、幾個家庭滄海桑田、男男女女的愛恨恩怨……女性高調嗓門，充滿悲情無奈的語氣，縈繞了整整四個鐘頭。

我坐在她們中間。

幾十年沒見的親戚，談幾十年的人事，彷彿看一套套粵語長片，而當中，竟然有無數「我」的鏡頭。

在別人回憶裡，一個完全陌生的「我」，從剛出生，到搖搖晃晃學步，到姊姊帶著上小學一年級，到表姊教寫阿拉伯數目字，又朦朧又清楚，都到眼前來。聲音構成影像，虛實之間，斷斷續續，她們好像說著我的前生，又像說著別一個孩子成長的故事。

坐著聽長輩聊天，談舊聞往事的日子，對我這樣年紀的人來說，稀有得很。她們撩撥了我沉寂已久的記憶系統，我努力搜索她們所說的前前後後，企圖重構失落已久的生命。

可是，話題跳閃得太急，閃亂了我的心神。

「你從小就愛逛街，一到街上你就不哭，父親寵你，不准我做功課，要我背你上街。生骨大頭菜！」

「你不會寫阿拉伯數目八字，把兩個圓圈連在一起算數，給老師罰寫一百次，我好心細意教你，你邊哭邊寫，寫來寫去都不像，蠢到死！……」

一切本來難以忍受的評語，此刻變成親暱呼喚。蠢到死的生骨大頭菜！刻畫了一個無比幸福的童年肖像，這就是我嗎？這就是我。

恍如別人的故事，還能聽得幾多回？

忽然，我心一陣絞痛。

——刊一九九二年十二月二十一日《星島日報》副刊「七好文集」專欄。

一九九三年

眼中痂

「你的視力比常人弱了百分之四十，眼球上有個痂。」——「痂」，是我理解得來的意思，驗眼師不是說「痂」，他說了一個英文名詞，我不懂，他吃力解釋說好像皮膚損傷後，流過血，結成的一塊硬塊，好了就自然脫落等等，我自作主張，叫它做「痂」。

病眼要休息，不能看書報，看風景沒心情，躺在床上胡思亂想。

眼中砂、眼中刺、眼中釘、眼中樑……一切有典有故，忽然來個眼中痂，那真「出師無名」。

砂、刺、釘、樑，都是外來橫加的東西，無可奈何給選中了，眼目受損，受害人大可理直氣壯，想盡辦法去之拔之而後快，大可一派與己無干的樣子。可是，眼中痂？根據病理常識，痂，是傷口或瘡口表面，由血小板和纖維蛋白凝結而成的塊狀物，自有保護傷口的作用。傷口痊癒了，它便脫落，強行拔掉，傷口又再流血，反而不妙。它是我自己身體生出來的東西，目的為了保護我，但它又的確阻礙了我的視線，真不知道該用甚麼感情對待它。

等傷口好了，它自行脫落，只好如此！我這樣安慰自己！可是，手足上的痂，總會有一種「誘惑」，在它快要脫落的時候，會癢癢的，人就不免想用手去抓。現在，痂在眼中，不知道它在哪一個角落，又看不見它還在不在？讓我天天在猜疑，怪難受的。

目中無人，不好，眼裡有痂，也不好。我只盼望自己的視力、視線都正常。花花世界，逝水年華，準確地看人看事，才不枉此生。但視力弱了百分之四十，痂脫了，我還是看不全，唉！要看準看全，真是談何容易！

——刊一九九三年二月二十三日《星島日報》副刊「七好文集」專欄。

一九九三年

北角

英皇道三六八號，一幢五層建築物，孤零零仍在那裡，彷彿是小上海最後一口喘氣。

老街坊知道它的歷史，它和左右一排房屋，連同馬路對面的樓宇，五十年代初建成的時候，構成了小上海的風光場面，叫保守小儉的香港本地人，大開眼界。

由皇都戲院到北角電車總站一段英皇道，五十年代初，由平地一片，忽然矗立了一群新樓。現在皇都戲院與北角道之間，建起一個大遊樂場——月園，巨大的摩天輪轉又轉，離得遠遠都看得見。

上海人帶著家財來到蕞爾小島上，買地蓋房子，把一切生活習慣都帶來了。忘了在那間叫「三六九」還是叫「四五六」的上海館子，點了餛飩和排骨麵，結果來了兩大海碗，食量不大、吃慣小碗雲吞麵的土包子嚇得面無人色。月園的壁上飛車、蛋子表演拉車、哈哈鏡與迷宮，成了本地孩子最嚮往的神話。

小學三年級，班裡來了個新同學，梳兩條小辮子，整天不開口，一開口說阿拉儂，老師總不叫她背書答題，我們好羨慕。我最熱心教她講廣東話，她請我回家吃上海炒年糕，從未吃過這樣黏這樣熱的東西，往嘴裡一放，粘住上顎，痛得呱呱叫。到今天，我還記得她請我吃年糕，她還記得我教她廣東話。

成年人世界好像沒有那麼和諧，小孩子並不知情，但偶然也聽懂一兩句閒話。

上海佬上海婆好惡死！

上海話難聽到死！

上海佬炒貴晒地皮，搶貴晒嫲姐……

海派到死！

本地人偶爾踏足北角，總有點酸溜溜，小上海，是南來新貴的地頭。北角由一塊濱海荒地，搖身一變富貴之區，新建樓宇，比起灣仔舊區，是光鮮得多，有些住在這裡的人，財粗氣大，本地人看不慣，「海派」成為貶詞。同學的爸媽，對著堡壘街的新家，老是搖頭歎息，「從前我們在上海呀……」就是憶當年風光的開篇。

小孩子只覺同學家又光又大，在那裡第一次看見冰箱，第一次坐梳化椅，海派，大概就是這個樣子吧？沒有貶義不貶義。

成人世界的爭拗一定不少，粵語片裡，語言不通，成為笑話主要題材，當然少不了挖苦一下：報紙變包子、窩打老道變我打老豆、上海佬碰釘子。國語片裡尤光照頂住個大肚皮，成為我們印象中的上海佬典型標記。這些爭執，一直要到六十年代初期，才顯出一些融和跡象。忘不了梁醒波、尤光照兩個胖子，一南一北，在電影《南北和》中的鬥氣方言和片段。現在細想當年，南來人和原住民都經歷了艱難的相處日子。

等到廉租屋邨蓋起來，本地人、福建人搬到北角，本地人口中的上海佬又不知道甚麼時候搬出北角，他們住過的房子拆了重建更高更大的大廈……無聲地北角在蛻變，日換星移。

真差點忘記了北角叫做小上海，有一天，誰衝著我說：「哦！原來你住在小福建。」我才猛然想起：那小上海呢？傾耳細聽，果然福州話響得很。跑到街頭，只認得孤零的三六八號一幢樓，月園縮成短小的月園街，青年一輩如何憑此設想小上海風情？

彈指四十多年，北角，盛載著許多外來人的步履，走了一程又一程，本地人，也看盡風流。

——分上、下兩篇刊一九九三年三月二十三及二十四日《星島日報》副刊「七好文集」專欄。

參

❖ 母親一向對新鮮事物不放過，月園開幕不久，就帶著我去開眼界。……反正遊戲券很貴，母親只肯帶我去看兩個表演。第一個是密封大鐵桶內壁飛車，大鐵桶有兩層樓高，觀眾站在桶外的觀看台上，外國表演員駕著電單車，沿桶壁懸空上下左右翻滾速駛，嚇得我們嘩嘩大叫。第二個教我最難忘的，是跳蚤表演。……從小盒中取出黑色虱子，跟常見貓虱一般小。馴虱師為牠們穿上紙衣裳，要牠們打球、拉車、跳舞，十分聽話。母親說馴虱師讓虱子吸血，養活牠們，所以聽話。……此外，我還在月園第一次照各式哈哈鏡。人在鏡內，如此扭曲變形，對無知小孩來說，真印象深刻。

——小思〈且說說月園（下）〉，見二〇〇七年一月二十一日《明報》副刊「一瞥心思」專欄。

證

❖ 四十年代末起，因逃避國共內戰及中共新政權，較富有的上海人和江蘇人先後來港，其中一批就在堡壘街和明園西街一帶落腳，當年該處建有不少三層高、單位面積達千呎的唐樓，環境甚佳；上海人講究生活，很快附近就開設了上海理髮店、上海菜館和各式商店，洋服店在渣華道尤為集中，區內更有麗池及月園兩大上海式夜總會和娛樂場所，令北角得了「小上海」之稱。

——林茵〈北角移民故事〉，見二〇一三年八月十八日《明報》副刊「星期日WorkShop」。

❖ 一九四九年十二月二十二日《工商晚報》頁四：〈設備華麗玩意豐富　月園遊樂場　今午三時開幕〉，內文報道：「耗資七百萬元，籌備六月之月園遊樂場，定今午三時，正式開幕。此一遠東最鉅規模之遊樂場，設備甚為華麗，各種新奇玩具，如旋轉風車、軌道火車、龍車、流星鞦韆、玻璃迷宮等，靡不具備。該園佔地廿二萬方呎，除露天遊藝場、有獎遊戲場外，並附設有樓高二層之舞廳，其坐檯部分，並有廂座者，為全港所無。」

一九九三年

幽幽小園

五十多年前，帶著病體的蕭紅來到了潮濕而寂寞的小島——這個南方小島跟她北方的故鄉大地多麼不同，她這樣對朋友白朗說：

「不知為甚麼，莉，我的心情永久是如此的抑鬱？這裡的一切景物都是多麼恬靜和幽美，有田，有樹，有漫山遍野的鮮花和婉轉的鳥語，更有澎湃泛白的海潮，面對著碧澄的海水，常會使人神醉的，這一切，不都正是我往日所夢想的寫作的佳境嗎？然而啊，如今我卻只感到寂寞！在這裡我沒有交往，因為沒有推心置腹的朋友。因此，……我將盡可能在冬天回去。」

冬天，她沒有回去，永遠沒有回去，兩個男人把她的骨灰埋在寂寞灘頭。一九五七年，關心她的人又把埋在那裡的半瓶骨灰移到廣州去，但還有一半，在哪裡呢？在西環的半山山坳上。

你聽過一條叫屋蘭士里的小街嗎？你當然知道那裡有一間著名的聖士提反女子中學。

斜坡上，綠樹成蔭的小花園，鐵閘永遠用鏈子鎖住，多麼恬靜和幽美，蕭紅的一半骨灰就埋在這裡，一棵大樹下。

端木蕻良當年，買了一個花瓶，偷偷藏起一半愛人的骨灰，為的是甚麼原因，旁人真難說得清楚，據說是為了很快就可以把她帶回故鄉去。

那裡，每天早上或者黃昏，都響起婉轉鳥語，許多女孩子無憂地踏上人生道路。你沿著柏道下來，或依著般含道向西走，就回頭看看那個小花園吧！哪一棵樹？我不知道，但那裡一定有縷寂寞孤魂，向北遙望。呼蘭河，原來與聖士提反那麼不相關，可是，一生一死，可憐的蕭紅就把它們聯繫起來了。蕭紅的重要作品都在香港這小島上完成，蕭紅的愛情故事，也永埋在那幽幽小園裡。

——刊一九九三年五月十六日《香港聯合報》副刊，作者署名小思。同版另刊〈寂寞灘頭〉，作者署名盧瑋鑾。

❖ 參

一直以為一九五七年她的骨灰自香港遷葬廣州，總算在祖國土地上落葉歸根，但又怎料，那只是她一半的骨灰而已，還有一半仍散落香江。我說「散落」，是悲觀的估計，因為端木蕻良先生說當年他把蕭紅一半骨灰，偷偷埋在聖士提反女校校園的小山坡上，他希望我能找出來。……幾次站在聖士提反的校園外，我滿心悽愴，能不能找到那一半骨灰，那就得看天意了。

——小思〈斯人寂寞〉，見一九八六年十二月二十二日《星島日報》副刊「七好文集」專欄。

❖ 證

〈寂寞灘頭〉附刊照片：淺水灣灘頭的蕭紅墓。

一九九三年

緊張

好天良夜，人家吃得正興奮，忽然問：「食食吓落雨點算？」這是我個性的最佳例證。唸中學的時代，我的綽號叫希治閣：在同學心裡，不單指「緊張大師」，而是一句歇後語：「嚇死人冇命賠」。

同事間也流傳一個我的緊張事例：一次在沙田夜宴，兩個熱葷上過後，我打開手袋，拿出小錢包，再拿出一些零錢，鄰座同事以為我要去洗手間，就說：「裡面沒有服務員，不必帶錢。」我一時接不上她說甚麼，「誰要去洗手間？零錢是等一會散席，坐完火車再轉隧巴時用的。」從此，這件事成為笑柄。也有人好奇地刨根究柢問：從吃翅到上隧巴這段時間內，我是不是死捻著零錢在手裡不放？

緊張，是我家族的「傳家寶」。嚴格來說，應該是傳自母親。也舉一個印象深刻的例子說說。

一九四五年第二次世界大戰之後，和平了，香港人仍是生活艱難，父母維持一家幾口生計真不容易。記憶中，母親總是臉容愁苦。從她口中，我聽到內戰烽煙、甘地不抵抗主義……有一天，她買了一擔白米回家，告訴我們說：「要打仗了，恐怕第三次世界大戰要來。記得日本仔打香港前，幸好我買了一擔米，我們一家才捱得過淪陷後缺糧的艱難日子。米，好重要。」以後，我家裡總有一擔米存著。一晃快五十年，母親墓木已拱，但第三次世界大戰還沒有來。假如母親還在，她就半白緊張了五十年，而肯定，我家仍會存一擔白米。

童年，在天天逃空襲中度過，我不說：「食食吓落炸彈點算？」已經表示我學曉放開愁懷，進步多了！

——刊一九九三年七月一日《星島日報》副刊「七好文集」專欄。

一九九三年

貓・米高

看來，貓，在文學在畫，要獨佔風騷了！

愛貓的文人多得很。豐子愷養貓愛貓寫貓畫貓，文化大革命期間，為了一篇文章《阿咪》、一兩幅畫：《解放》、《摧殘文化》，成了罪狀。都是寫貓畫貓惹的禍。近十多年，作家養貓似成風氣，冰心、夏衍、端木蕻良、劉心武……都抱著貓拍照。冰心那隻白貓，拍照時，佔的畫面比主人還多。

香港文化人，寫貓可說多姿多采，寫實派、印象派，情理交融，一切以貓為命。粗略想想：老前輩葉靈鳳、許地山、吳令湄，都寫過貓。在報刊上寫的：簡而清、陸離、石琪、吳靄儀、吳昊、李默、韓山、可以、邁克、尹懷文、李英豪……甚麼機緣，編一本《我為貓狂》文字版，一定十分熱鬧。

日本漫畫家小林誠，筆下的米高，和不是主角的波波、加德里奥、一群不知名的小貓大貓，忽然叫我動心動情，看得一陣嘰嘰發笑，一陣又忍不住想起從前養過的貓。

看許多人寫貓，都從人的角度寫。小林可怪了，都從貓角度寫，那就特別靈。在第一冊首頁：「如果人變成貓，貓變成人……很好啊！——米高的主人。我才不要呢！——米高。」米高斜乜著眼看牠不高興的人、攤成大字、肚皮朝天的睡姿、洗身洗背洗屁股的盡情——一切癲癲地的作為，都是貓才知道。

一九八五年小林誠已經出版了第一本米高，香港到今天才看到，沒關係，看到就是好。只是對中譯有點擔心，保持原意成分有多少呢？改動就不妙。可能會「吞」了一些妙著，又可能破壞貓思。例如第三冊中的《新同居時代》，電視長片的對白出現了：「港仔！……對不起呀！當年媽不爭氣，害你一直要寄人籬下，英叔對你好不好？」就另有所指了。

（夜讀閃念．讀小林誠《我為貓狂》）

——刊一九九三年十二月十四日《星島日報》副刊「七好文集」專欄。

❖ 證

小林誠《我為貓狂》中譯第一集，文化傳信有限公司一九九三年十月出版。

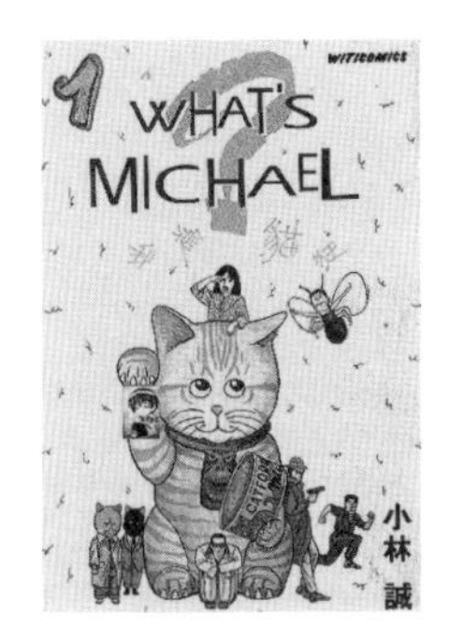

一九九三年

背囊

在人口密集的香港，流行揹背囊，真是一件值得人思考的事情，特別值得我思考，因為：我矮。

最初，有點冷不提防，在人擠的地方，站在人群中間，突然給人家的背囊朝著頭臉橫掃，差點連眼鏡也摔掉。以後學乖了，總空著一隻手，提高萬二分警覺，凡遇揹背囊的人，又非站在他們附近不可，就會握拳伸掌，他們一有異動——轉身背向我，我就用拳用掌，先下手為強，推擋背囊。這樣幹，的確可避過橫掃頭臉之災，但卻弄得自己緊張得很。

背囊，是怎樣的一種盛器？

早在幾千年前，埃及人已經用上背囊，——在開羅博物館可以看到。中國人很早也用背囊——玄奘法師取西經就用大背囊。研究一下力學，肩背的承受力最強，又能空出兩手，幹更多的事，很好用。但從前用背囊的人，大概都走郊野山路，就是走到城鎮，人不那麼多，前後不會擠滿人，怎麼轉身，也不會碰到別人。

其實，一個人揹著背囊站著，就等於佔了兩個人的空間。許多人都忘了這個佔空間的問題，現在的人，多是「顧前唔顧後」，背囊又沒有「感覺」，他們可以完全不負責任。

據說，用背囊背重物，對筋骨最少傷害，又能保持體型正常發展，空出兩手更方便更自由。至於在擠迫人群中，佔了過多空間，又或無意對矮人如我造成滋擾，卻非推銷背囊的商人，或背囊主人所關心的。

天下事，還有無數值得我們關心和思考的，我卻偏偏為這件事思前想後，只因對「顧前唔顧後」的背囊現象，深有所感。

——刊一九九三年十二月二十二日《星島日報》副刊「七好文集」專欄。

一九九四年

看銅獅去

眾人上班辦公時刻，我走到中環滙豐銀行總行門前。門前？哪裡算是門？舊日的三道銅門，我記得清楚。但甚麼後現代主義，一時弄不通，只知道新的建築，活像一所未完成的工廠，裸露著冰冷的死硬的身軀。沒有門，視線自德輔道穿透到了皇后大道中，電動梯橫切了大堂中間，大堂？那不該算作大堂，乘電動梯上去一層，才算正式的銀行辦公大堂。乘？是企。是站。

忽然，我竟發現許多舊日慣用的概念、詞彙都變得不正確。有門沒門、大堂、是乘是企……迷糊迷糊，我只好笑。

我是有意特地走到中環滙豐銀行去的，為的是看那對銅獅子。活在香港幾十年，原來從沒有細細看過那對獅子。去看，去撫摩一下，去查看雕塑家的英文名字。

不是吳冠中在文章裡提到，我並不知道那對銅獅是國立杭州藝專的外籍教授魏達所作，遠在一九三五年，林風眠當校長的時代。果然，W.W.Wagstaff的簽名，深深刻在銅座上。

威武張開了大口的一隻，竟然負了那麼多傷痕，一個個洞，裂得深深的。甚麼時候受的傷？五十年的歲月，牠開了口，卻沒說話。

我繞著獅子走幾圈，一個大概在等人的人瞪著我，又不像遊客，這個人要看甚麼？一個土生土長的香港人，第一次細看那已經在那裡幾十年的獅子，先生，你明白嗎？

他當然不會明白。

我摸摸牠的指爪、尾巴，有些已給人摸得發亮，黃澄澄。

哦，原來我連銀行的名子也說不全，它叫：香港上海滙豐銀行。

——刊一九九四年一月十九日《星島日報》副刊「七好文集」專欄。

證

❖ 一九三五年九月十七日《天光報》頁三：〈滙豐銀行　兩銅獅　昨已運到〉，內文報道：「本港建築最偉大之滙豐銀行新行、各項工程、現已完成八九、所差者為內部裝飾、昨又由輪船運到青銅巨獅兩具、安放於德輔道中門口之兩石座上、兩獅作蹲伏狀、姿勢甚美、每具約重二噸、由苦力十餘人扛之而行、當時尾隨而觀者，大不乏人云。」

❖ 一九四六年九月十七日《工商日報》頁三：〈皇后像　銅獅　在日尋獲　銅像失去右臂　雙獅滿身彈痕〉

皇后像・銅獅

在日尋獲

銅像失去右臂

雙獅滿身彈痕

【東京十六日美聯社電】香港之維多利亞皇后像，於日軍佔領期間，被日軍掠運來日，現因港政府向駐日盟軍總部交涉索回，現由該部民產管理處主任，飭令日政府交還。該像已於大阪軍械廠遺廢搜得，但其右臂及足，均已失去。同時又暫回其他原自香港掠來之物，如上海滙豐銀行創辦人積克遜銅像，及上海滙豐銀行門首之銅獅一雙。但獅身上滿佈槍彈痕。上述各物，將交由駐日英軍接收，歸還原主云。

白鸚鵡傳奇

一九九四年

早上、黃昏，牠們都會群飛群棲在樹技、大廈天台電視天線架上，呱呱呱的對話，呼喚還沒歸隊的同伴。

牠們，只有七八隻，全白的鸚鵡。

一個月，總有一兩天早上，牠們會選中城西公園的一棵大樹，一口一口把粗如手指般的枝杈咬斷，弄得枝葉滿徑皆是。最初，我路過，還以為誰在破壞公物，又或哪個園丁粗心，沒收拾好剪下的廢枝。一次，一大把枝葉剛從上掉下來，幾乎打著了我，抬頭看，才發現牠們正在「努力」，咬呀咬個不停。從此，我就注意牠們了。

原來，牠們的身世，關連著一個傾城的故事。

故老相傳，牠們的行蹤，上不過干德道，下不過般咸道，東最遠到英華女校，西不出香港大學陸佑堂附近。

白鸚鵡，應該養在人家樓頭的鐵架上，怎會在外邊東闖西飛？

牠們的祖先，不知道上溯幾代了，本來也給人家養著的，就在旭和道附近。一九四一年，日本炮火轟到香港半山，三年零八個月淪陷歲月開始，牠們的主人也隨著傾城而不知所終了。戰火流離，牠們像人類一樣，從安穩的家飛出來，從此就在港島西區半山，過著風塵日子，一代傳一代，七八隻天天呱呱呱的飛來飛去。

據說，鸚鵡能言，不知道牠們祖先有沒有教曉甚麼語言？傳下怎麼樣的一個城市傳奇？可惜，我不是公冶長，沒法子跟牠們對話，否則，一定可以聽到傾城的故事。

牠們又在城西公園一棵樹上，咬下一大把樹枝了。這棵樹，與牠們有甚麼關係？與傾城有關麼？

我抬頭看牠們，牠們飛走了。

——刊一九九四年三月二十五日《星島日報》副刊「七好文集」專欄。

參 ❖

一九四八年八月二十日《大公報》頁四：〈白鷺鷀累了莫熾 拘留後送上法庭〉，內文報道：「灣仔告羅士打道一一七號三樓騎樓上，十七日忽然飛來白鷺鷀一隻，住在那裡的一個十七歲男子莫熾就把牠捉住，拿銅鍊繫住牠的腳，把牠養起來。第二天下午一時許，警察來了，把他連人與鷺鷀一起帶到灣仔警署。因為，據說這隻鷺鷀是在灣仔海邊某西人宿舍裡斷線飛去的，故而警方認為莫熾有拾遺不報的嫌疑，把他扣留，關到昨天早晨解他去中央裁判署羅司庭審訊。……法官說：物各有主，就是鳥兒自己飛到你家裡來，你也應該報告警察呀！結果因為警方主控對這案不想深究，法官判將被告莫熾儆誡省釋。」

一九九四年

「玩具」

從戰火、貧窮、匱乏的時代度過的童年，沒有甚麼值得炫耀的回憶。且說說三件「玩具」，進學校之前，也就是說九歲之前，它們是我永不離棄的良伴。玩具，怎麼要用引號？因為它們不是玩具。

第一件：觀蟻。螞蟻的生命力真強，在人類連食糧都缺乏的環境，牠們居然無處不在。家裡沒有甚麼東西足以惹蟻，可是黑蟻、黃絲蟻，總分成兩派，整天在許多角落來回走動。騎樓欄杆上，正是牠們必經大道。每天，我搬一張木凳子，趴在欄杆旁，細細觀看牠們的陣勢。

黑蟻身形大，腰纖肚大，特別在吸了水分時，肚子脹得透明。牠們走動得快，行列往往有點亂。黃絲蟻小巧淡定，列隊前進，沒有蟻會越隊。觀蟻，兩種蟻各有吸引力，黑蟻看得人眼花，但多戲劇性變化，黃絲蟻團結整齊，容易分清領隊和工蟻，卻嫌隊形保守，定睛看多了，會變成「鬥雞眼」。

牠們整天忙著搬運，有時搬食物，有時搬白色的卵。食物，是我假設的，因為牠們含著的小粒，我分不清是不是食物。牠們最大動作是搬別的昆蟲屍體，黑蟻一口咬住一隻比牠身體大幾倍的蟑螂腿、飛快前跑，好像毫不吃力。幾隻蟻合力扛動小截蟑螂屍體，就偶有忙亂了。

牠們太有秩序，不好看，我會很殘忍……真的殘忍，純粹為了自己快樂，用手指捏死隊中一隻蟻，或者向牠們潑水，陣腳一時大亂，我就等著看牠們怎樣在危難之後，重新整合。現在回想起來，那些給我捏死的蟻，真是死得不明不白，大概這叫天地不仁吧！

第二件：小藥瓶。從前吃西藥，藥丸用窄頸胖身的玻璃小瓶盛著。我擁有兩個這樣的樽仔，他們是一對，孩童無知，沒為他們分性別。我從紙盒中拿出來，把紅色藍色膠蓋拔出，斜斜蓋住瓶頂，從後面看，就是一對戴了紅帽子藍帽子、又胖又矮的小人。

每天，他們就是這樣活起來。我用手指幫他們移動身體，我扮成不同的聲音代他們說話，也跟我說話，講些甚麼，現在當然記不起來。我歪著頭，趴在桌子上，把視線移到與他們齊平，展開一天的對話。奇怪，這一對童年良伴，我竟沒有給他們改個名字。

第三件：不該用件來做量詞，它只存在我腦海裡：並不實存的小人國。那時候，我沒聽過小人國故事，只是不知何故生出這個奇怪想頭。家裡沒有人的時候多，孤單的孩子，藏坐在大藤椅裡，凝視著空蕩蕩的大廳，地上就浮現了街道、房子、車子和行人。它每次出現都同一形格，絕不因為幻想而變化。我可以說得出每條街道兩旁店舖的樣子，也說得出每個行人的活動。我會讓街上有些事情「發生」，然後組成一個一個故仔——大概我又在自說自話了。這個想頭，不會是大人引起的，因為唯一跟我講故事的外祖母，只懂《水滸傳》和《三國演義》。我很快樂，每一次居高臨下，主宰著這個小城市。

我的童年，就在這三件不用錢買的「玩具」陪伴下，冉冉逝去。

回頭看這幅童年畫像，匱乏卻又富饒，孤寂卻又熱鬧，一切那麼矛盾而溫馨，是誰賜予的？我實在幸運，想來還是值得炫耀的。

（今天早上，新聞報道，一個家境富裕，擁有許多玩具的小孩子，因父母不在家，耐不住孤寂，跳樓自殺。於是，我想到自己的幸運。）

——分上、下兩篇刊一九九四年四月二十七及二十八日《星島日報》副刊「七好文集」專欄。

❖ 證

一九九四年四月二十二日《明報》港聞版：〈父母忙於生意　抱怨乏人關懷　富家女生跳樓殞命〉，內容報道：「一名家境富裕及就讀名校的中三女生，懷疑抱怨缺乏家人的悉心關懷及溫暖，感到孤寂和苦悶，昨早穿著整齊的校服在廿三樓跳下身亡。據悉，她的母親離港赴美公幹，其父親亦忙於生意，家中只有兩名菲傭照顧她。」

胡士托重來

原來，一瞬間，已經二十五年了。

胡士托音樂節，在世紀末重現，有甚麼象徵和意義？

二十五年前，美國年輕一代，對一切「正常」、「正統」的建制、生活模式產生極度的反叛。他們破壞本有的人倫關係、家庭模式、社會道德觀點，對抗令他們失去信心的政府和制度。他們服食大麻迷幻藥，以「愛與和平」為口號，胡士托音樂會成為一個極具代表性的活動。

這在六十年代末期的香港，說保守說開明都不是的社會環境，甚麼嬉皮文化，甚麼抗衡社會行為、性解放、迷幻藥，許多人都似懂非懂，更說不上接受不接受。

當年我正在一間天主教修女辦的女子中學教中文，雖然也愛聽鍾．拜亞士的民歌，曾叫學生去看披頭四的「黃色潛水艇」，反對校長查學生書包，但其實仍然很保守，對胡士托的開放，還是十分抗拒。一天，去看望唐君毅老師，他第一件事就問我有沒有看《胡士托音樂節》紀錄片。我很詫異，老師怎會對這個古怪活動感興趣了？

坐在電影院裡，光影閃動，我不是給瘋狂的搖擺音樂震撼，而是給成千上萬、裸露身軀、如癡似醉的青年行動眼神所迷惑——這是千里外的青年群體生活取向？迷惘眼色中如何得到愛與和平？電影記錄了他們的迷亂、悲愴，在泥濘中如一團鬼魅，這是他們的快樂表現麼？真是一個謎。去請教唐老師。唐老師說：「這是西方文化一個很重要的訊息，你得注意，物質與政制對人類已經變成枷鎖，它必須破壞，才可重建。西方文明以為很重視人，這群青年人就以行動來證明人被壓制後的反彈，西方文化病態也給它反映出來了。」

二十五年後，胡士托重來，又是一個怎麼樣的訊息呢？

——刊一九九四年八月二十二日《星島日報》副刊「七好文集」專欄。

證

❖ 一九七〇年七月十六日《工商日報》頁三：〈胡士托青年音樂節　表達青年思想〉，內文報道：「胡士托青年音樂節，是華納公司最近的製作，利用分割畫面的方式，一面實地錄影四十五萬名以上的青年，在紐約白湖城，舉行的胡士托青年音樂節的一切活動。……『和平、愛與音樂』正是號召四十五萬名以上青年的力量，他們竟能不分男女，由各個不同的地方長途跋涉會合一齊，度過糧食不足的三晝夜，他們歌唱，聽世界出名的青年歌手的歌聲，他們跳舞，也許人們會以為他們在尋歡作樂，但事實上，他們是存有心底裡的理想。」

❖ 胡士托音樂節一九九四，旨在紀念一九六九年原胡士托音樂節二十五周年。它宣傳「更多的和平與音樂日」。音樂會定於八月十三日和十四日的周六和周日舉行，之後又增加了第三天。門票每張售價一百三十五美元。

——維基百科（英文版：Woodstock '94）

❖ 一九九四年胡士托音樂節海報（來源：Wikipedia）

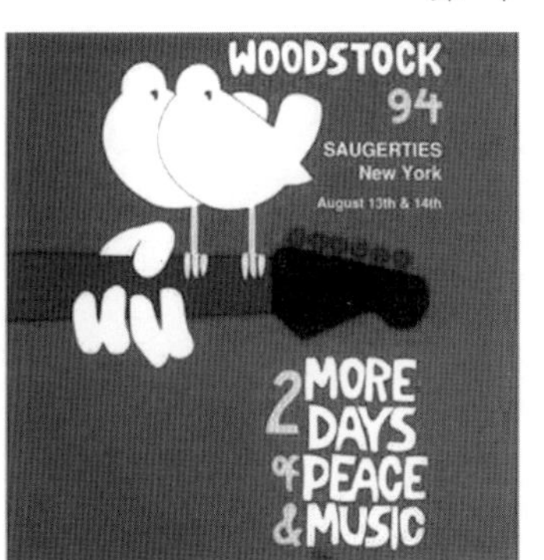

一九九四年

收藏

從小就養成把「沒用」東西收藏起來的習慣，沒有人教導我要作收藏家，甚至為了收藏，得冒一些風險或痛苦，我倒一次又一次，有「主題」的把小東西藏好。記憶中，第一宗主題收藏是糖果紙。還沒上小學，那時候，社會經濟不發達，家庭狀況也不好，吃糖果，算是奢侈。糖果品種不多，在小孩子心目中，美國牛奶糖、瑞士糖、英國拖肥、朱古力，該是四大天王。平常日子，等閒不易吃得到。過年過節，有人送禮或家人自購，才珍而重之，分得幾顆。

牛奶糖是藍白紅帶蠟的紙，瑞士糖是紅、橙、黃、綠、藍帶蠟的紙，拖肥、朱古力是七彩錫紙。吃糖，得小心拆開包紙，含著糖就去找草紙，揉成紙團，在平放的糖紙上面柔力擦平，讓本來很縐的糖紙變得平滑。

我有一個力爭回來的英國花街拖肥糖盒——那時候，鐵的盛器、盒子很少有，平平扁扁的盒子，正好給姊姊放針線。爸爸寵我，媽媽雖說姊姊有實用，最後還是我爭得到手。——

又最近在一間懷舊物品專門店裡，看見一個一模一樣的盒子，售價三百塊錢，叫我感慨萬千。拖遠了，話說回來，我就把平滑七彩的糖紙，珍藏在盒子裡。有時拿出來把玩，有時拿出來以驕同儕，有時也會送一兩張給好朋友，表表心意。

糖紙，畢竟花款不多，來來去去不過十種八種，但幾年下來，我也收藏了滿一盒。誰料，有一天，媽媽發現抽屜裡有許多黃絲蟻，就說是糖紙「惹蟻」，要把我的藏品全扔掉，那是我第一次喪失藏品的打擊，哭得手腳「抽筋」，是很痛苦的經驗。

不久，進了小學，我又改變主題：收藏橡皮圈。粉彩色的橡皮圈，一紮一紮分起類來，藏滿一個大牛奶糖罐。可是，橡皮圈比糖紙更沒變化，沒花樣，看多了也乏味，最後不知怎樣就停止了，現在記不起如何處置那些藏品。

中學時代，我的收藏主題是：票，各類車票、入場券、戲票。其中以車票最多也最特別。新界公共汽車票價不同，顏色各異，港九公共汽車車票和電車票款色變化不大，但我卻專門收藏號碼特別的票。記憶中，四個號碼相同的，由〇至九，大概超過一百張，還有號碼成雙的，例如二二八八，號碼相隔，例如一二一二，號碼排列特異，例如五六七八……好幾百張。戲票更多姿多采，我第一張藏品，應是父親所藏，戰後第一套轟動香港的荷里活七彩電影《出水芙蓉》的首映場票。父親愛看電影，據說當年要排隊才爭得那票，故捨不得掉，還在票背寫上戲名。

由於收藏時間長，量也特別多，就正因這樣，幾次搬家成了累贅。一直到六十年代末，實在沒地方可供它們棲身——包括此生第一批藏書，一咬牙就全送人了，記得票全送給一個女學生。現在想起來，心裡仍切切作痛，但願不會所送非人，它們還在世上。

最近搬家，竟然發現夾在舊書裡，有一批一九六五年的戲票——戲院全都不存在的了，不知何故它們會幸存，撫摩再三，感慨繫之。

雖然一次又一次遭受「失去」的打擊，但收藏習慣還沒有改掉，隔一段日子，我又會「發作」，找個主題來玩玩：中國風景明信片、小玻璃瓶、石頭、外國各種車票、入場券……，主題這樣換來換去，沒有長時間地浸下去，是收藏的大忌，這也是我不能成家的原因。不過，我也沒有立志做個主題收藏家，一切隨緣，只求有一點點閒情，寄託在可供佔有的小東西上，不要因工作緊張而失去小情趣，那就夠了。

近期收藏主題是：睡貓，用廣東話叫「瞓覺貓」，好像有趣得意些。看著藏品，把玩把玩，暫時忘記世間煩惱，也算健康療法。

——分上、下兩篇刊一九九四年九月二十及二十一日《星島日報》副刊「七好文集」專欄。

❖ 證

小思愛貓的程度，已到了發燒的地步，她家裡藏有的貓擺設，連同明信片，粗略估計就有二三千件！她說喜歡手製品，因為那是獨一無二的；而她所蒐集的都是清一色的睡貓，並說這是貓的最大特性——因為貓兒一天要睡十八小時。

——張麗瑜〈小思：街角風流〉，見二〇〇〇年二月十一日《香港經濟日報》C1。

慚愧

你只在園外張望，真的沒有進去過？你沒有去跟學校負責人談談這件事？真的？真的？

那位外國女學者瞪著澄碧眼睛，帶著一臉不可思議的神情，追問我。我搖搖頭說沒有的時候，她也搖搖頭，噢！不，怎可以呢？我忽然像跌了一大跤，用近乎囁嚅的語調，告訴她我只請了該校的一位老師去傳遞了信息，卻又沒追查結果反應。她搖搖頭，然後告訴我，她已約了有關的負責人見面，幾天後就會進入校園去，把事情弄清楚。

那是關於蕭紅一半骨灰，埋在聖士提反女校校園的事。

她還要去瑪麗醫院查檔案，去紅十字會翻紀錄，她追問九龍樂道平民房屋該是怎樣子？她考慮戰亂期間，病人在缺乏交通工具情況下，怎可以搬來搬去？蕭紅究竟住過幾多個地方？……在她的認真追問下，我變成一個沒準備好功課的懶學生，更像一個不用腦袋的學生。

她把我們兩人不同的態度，分析為不同文化影響的後果。

但我想想，為甚麼自己沒去追查蕭紅埋骨的事情，果然是文化不同才會如此嗎？多年來的研究，我的追查資料態度，已經算認真的了——我自己認為如此，但跟人家一比，就顯現了不足之處，這恐怕不要把責任推在文化不同這層面上，是我的耐力不夠，碰了幾次釘子就軟下來。例如六國飯店拆卸時，我曾寫過一封長信去請負責人讓我看看他們保存的紀錄，並告訴他們六國飯店在香港文藝活動史上的重要性，但連回音也沒一個，我就不再追尋了。

先後兩個外國學者為尋蕭紅的故事，在香港尋根問柢，而我這個香港研究者，卻只在他們面前低首，我覺得很慚愧。

——刊一九九四年十一月一日《星島日報》副刊「七好文集」專欄。

悼「樂園」

◇任香港中文大學中文系教授

《兒童樂園》停刊了！

雖然，停刊消息只有兩行字，而且用了「暫停」一詞，沒有激動，沒有傷感，好像一切如常。也許，對小讀者來說，這種處理方法是合理的，孩子不該太早知道世道艱難。

有幾十年歷史的《兒童樂園》，養大了幾代人。它出現的時候，我已經不是兒童了，但仍然每期細細閱讀，裡面的可愛人物、美麗的插圖、溫馨的故事，仍然緊緊扣住我的少年心事。當然，亦舒、杜杜才是《兒童樂園》的忠實擁護者。幾年前，我一個學生移民加拿大，貨櫃裡就藏著她從小到大所擁有的全部《兒童樂園》，她說：我自己要看，將來也給我的孩子看。將來？對，她說這話時還未結婚。

現代的孩子，有現代口味，就該有切合他們的兒童刊物，老掉了大牙的東西，追不上時代，就該淘汰。總有人如此振振有詞的說。但，甚麼是老掉大牙的東西？切合兒童口味，那口味是誰培養出來？有甚麼標準？大人世界流行的，是不是就等於兒童口味？日本民族的風格，是不是應該原裝移過來，注入香港兒童心中？

我們為了「變」，為了所謂「追上時代」，往往忘記了其實中外古今，都應存在種種永恒的主題。這些主題，是人類無法擺脫的，例如：愛、生死、正義是非……兒童心中，最早最純化的就有這些母題。從小就培養、強化這些理念，長大後面對各類醜惡、歪曲、悲憤，都可以頂得住。所以，兒童必須有個「樂園」。

維持了幾十年的《兒童樂園》停刊，我不是以一個老讀者身份為此難過，而是擔憂兒童再沒有樂園。兒童過早涉足於惡花野草的荒原中，很容易變成「狼」了。

——刊一九九五年一月十七日《星島日報》副刊「七好文集」專欄。

❖ 證

❖《兒童樂園》創刊於一九五三年一月，至一九九五年停刊，每半月出版一期，為香港定期出版的重要兒童刊物之一，由兒童樂園半月刊社負責出版，羅冠樵任主編，全書彩色印刷，內容包括歷史故事、世界童話、兒歌民謠、長篇連環圖故事、謎語、遊戲、生活知識等，取材新穎，內容健康。「叮噹」在編輯兼社長張浚華的引介下，更成為香港一代又一代兒童成長的伙伴。《兒童樂園》的插圖大部分來自羅冠樵的手筆，其後有李子倫、陳子沖等。一九九五年，《兒童樂園》因經濟問題而宣布停刊。

——二〇〇六年十一月香港中文大學圖書館「薪火相傳：香港兒童文學發展六十五年回顧展」〈展品簡介〉

❖《兒童樂園》創刊號封面。全部期號現可於網上瀏覽，見 http://www.childrenparadise.net/。

悼梁伯

一九九五年

梁伯逝世，很突然，許多跟他有接觸的後輩，一時間都沒法子相信。

我叫他做梁伯，跟一般人稱他魯金叔不一樣。

二十多年前的事了，也記不起誰人介紹，在甚麼情況下認識他老人家——那時他還不算老，仍在報館裡當記者。我是個中學教師，但對香港社會各樣俗文化很感興趣。就這樣子，許多時候跟著梁伯到處跑。

記得第一次是梁伯帶我去荔園粵劇院採訪探班。那種半野台戲的演出形式，前後台都很荒涼，老倌也無名無姓——我首次明白「過氣老倌」的含意。他們在衣箱前化裝，梁伯跟他們閒聊。以後我學習了梁伯的採訪方式：不見他拿起筆及本子，從不在人前筆記。往往若無其事的閒聊，第二天在他的報道文字中，卻毫不走樣地記錄下來。他說好記者，要好記性，對事情敏感，但不應在人前寫下來，免得「嚇親人」。

梁伯去逛街，只要遇到感興趣的人、物、事，就會停下來，先定神看，然後就向人問長問短。他說尋根究柢就要每事問，他說我面皮嫩，不敢開口問人，很吃虧。

往後的日子，大家都忙，他也愈來愈有系統地做著香港歷史俗文化的介紹工作。我再沒有跟他逛街了，但他仍很熱心介紹我認識許多搜尋香港歷史資料的同行。他很忙，除了自己的工作外，還要幫助無數機構和業餘研究、收藏者做考據。我曾勸他不要過忙，他說，現在許多後生仔好熱心，幫他們一下，我自己也開眼界，也學到不少。一直，他體健神清，恐怕連他自己都沒料到一下子就去了。

多識廣見的梁伯一去，研究香港風俗文化的後輩，不知道還能不能找到如此敦厚的導師？

——刊一九九五年二月十七日《星島日報》副刊「七好文集」專欄。

證

❖ 梁濤先生是省港澳的資深報人，從事新聞工作逾半個世紀，近三十年，更致力於鑽研香港歷史、風俗掌故、街道建築、廟宇神祇、郊野傳奇……，亦曾編寫《香港掌故》之類的叢書系列。梁先生不但著作豐富，而且是研究香港史的先驅，自從帶出這個研究項目之後，近年已見百花齊放，關注本地史的人漸多。

——梁煦華〈悼念梁濤（魯金）先生〉，見一九九五年二月二十一日《文匯報》E2。魯金先生資料網上可查香港中文大學圖書館「盧瑋鑾教授所藏香港文學檔案」：http://hklitpub.lib.cuhk.edu.hk/lovf/about.jsp

一九九五年

還是說下午茶

飲下午茶，我算是家學淵源。

母親是個中國傳統女性，可是，只有一個飲下午茶——必飲洋式下午茶的習慣，就很不中國式。

她很節儉，我們家境也不富裕，但一個月裡，同朋友同父親帶著我去飲下午茶，總有兩三次，而且都很講究咖啡店的情調。

她同談得來的朋友，多會去灣仔天樂里的北極。那是家老灣仔都記得的咖啡店，全店面積不大，以深藍色為主調，綴以冰山及企鵝作牆飾。幽雅而寧靜。同父親多會去中環的聰明人餐室或香港大酒店地下的咖啡店，偶然也去思豪酒店，給我印象最深的還是香港大酒店。那兒有極大落地玻璃，白紗掩映，樓底極高，大梳化圍著小玻璃茶几，對小孩子的我來說，一切都過分的大，只有小茶几太小。我坐在梳化上，只佔三分之一位置，又永遠腳不到地，離開小几又遠，很不舒服。母親喜歡要一壺熱鮮奶，一壺紅茶，混和來喝，不用酒店供應的拌茶牛奶。要一客公司三文治，那時候的公司三文治，疊著三塊麵包、各種配料，超過一吋厚。想想小孩子又要保持儀態，張大嘴巴來吃一口比嘴巴大的三文治的狼狽相，我理解我對那裡印象深刻的原因了

母親去世後，父親仍保留飲下午茶的習慣，但不再去香港大酒店或聰明人了；往往是逛到那裡就隨便選一家咖啡店坐坐。如果在家，附近的太平館、金城戲院旁的一家由上海人開的小咖啡店，都是他常去光顧的。父親比母親更寵我，小學六年級時，他已讓我帶同一群同學去飲下午茶，特別金城旁的小店，店主熟了，可以簽單結賬，父親去的時候才付款。七毫子一杯奶茶，三毫子一瓶綠寶可樂、五毫子一客多士，一切豐儉由人，那是很遙遠的飲下午茶日子。

——刊一九九五年三月二十二日《星島日報》副刊「七好文集」專欄。

參

❖下午茶，對我來說，不是一種實質的飲食，而是一種忙碌工作後的安慰。……七十年代正當火紅的日子，有一個學生知道我愛下午茶，就來批判說：「你是資產階級。」我只問了她兩句話：「三行工友是甚麼階級？」「勞動工人階級。」「那麼他們三點三飲下午茶，你怎麼批？」她沒話說。……我到過福建、四川，看到小農家也在忙碌縫隙，擺開茶具，蹲在地上或安坐竹椅上聊天，我就明白，一個合理的民生，應該在苦幹之後，仍可以不受干預地、適度地享受一下，那沒有甚麼不對的。

——小思〈下午茶〉，見一九九五年三月十七日《星島日報》「七好文集」專欄。

一九九五年

零食

不知道在甚麼情況下，我留給舊學生一個愛吃零食的印象。舊學生大部分是指我教中學時的學生，他們來看望我，總帶上一大堆零食。

統計一下，農曆新年，我收到的零食：花生八斤、糖果餅食——不是拜年應酬式的例牌貨，都是精美名牌，十多種，各式涼果、蝦片薯片——堆滿儲物櫃，黃梅天氣令我發愁，怕它們變壞了，十分可惜。

哎，說實話，我也的確愛吃零食，又是家學淵源。父親愛吃花生、鹹酸涼果。母親去世後，沒有人管束，父女倆晚飯後，坐在廳裡，聽收音機、放唱片，一個晚上可吃一斤花生、興亞陳皮梅、嘉應子一大堆。父親吃零食，很廣東式，特別愛吃國民戲院門外一檔：酸菜、酸沙梨、酸木瓜、酸薑蕎頭、酸油甘子、酸梨子。看戲前必然買一大袋，還未開映，已經吃光。

曾克耑老師也愛吃零食，過年時的全盒最多采多姿，是北方式，瓜子種類多，棗沙糕，各式涼果，這叫雜拌兒。

現在，零食的種類跟從前很不一樣。或者舊式零食有些早已「失傳」，例如酸沙梨、酸木瓜。又或者製作方式用料改變，味道改得很怪，例如陳皮梅嘉應子，帶著化學酸味，令人舌頭發痛。甚麼百力滋、蝦條、薯片，油炸的多，味精一大把，沒有甚麼個性，吃多會膩。

又也許，我的胃口改變了，心情改變了，只有回憶裡的零食的滋味最堪記取，包括一個無所事事的漫長夏日午後，左鄰右里在大廳閒扯的晚上。花生衣飄飄忽忽自人們指間散落，涼果紙沙沙揉作一團……

——刊一九九五年三月二十六日《星島日報》副刊「七好文集」專欄。

又拆一間

萬宜大廈要拆掉重建了！

花開花落，香港人看得慣，等閒風月。新建築物一眨眼又出現一幢，名字記不清，樣子差不多，沒有辦法弄得深刻印象。

只有匱乏日子，偶然一座高樓，又設了前所未見的電動樓梯，才引起哄動。後生小子，聯群結隊見識見識去，如今人樓俱老，驚聞它要拆掉，才記起天天經過，都沒好好看它一眼。

趕快自沉澱記憶中，攪撥一陣，有人記得樓下蘭香室的出爐蛋撻，有人記起紅寶石餐廳。

我也記起紅寶石餐廳。

中學時的音樂科老師很嚴，考試既考西洋樂理、樂器聆聽，還要聽認著名樂曲的主題樂章。那時候，沒幾個同學家裡有「留聲機」，更沒有那些昂貴唱片，於是音樂科永不及格。後來，不知道誰發現了萬宜大廈二樓的紅寶石餐廳，每星期有一個晚上，舉行音樂欣賞會，主持人叫陳浩才，每月還印發一本小冊子《音樂生活》，介紹著名音樂家、作品導賞。我們想去聽，要交十塊錢，就可享用一頓奶茶西餅，聽足整個晚上。

十塊錢，對我們來說，很昂貴，那時候電車學生票是一毛錢，可樂是三角一瓶。於是，我們學懂選擇老師提過的名家，每月去聽一次。就這樣，我們進入了西洋音樂天地，慢慢養成聽音樂的習慣。我還收藏了每一期的《音樂生活》，到後來搬家才十分不忍地扔掉。

萬宜大廈很快就發生變化，比它老不知多少倍的利舞台不是在我們揚眉瞬目之間變化面貌了嗎？花開花謝，我們懷一下舊，日子畢竟會過去，似乎連傷感也來不及。

唉！

——刊一九九五年五月二十三日《星島日報》副刊「七好文集」專欄。

證

❖ 中環萬宜算是古典音樂最早的根據地，一九五八年起，已故的陳浩才先生已在中環萬宜大廈的紅寶石餐廳主持紅寶石音樂會。

——蘇娜〈音樂回憶〉，見二〇一二年一月二十九日《頭條日報》「古典美樂」專欄。

❖ 第一代萬宜大廈由著名建築師朱彬設計，於一九五七年初建成，落成時設有香港第一部奧的斯扶手電梯。舊萬宜大廈簡約主義的建築風格在五十年代相當受歡迎，甚至被同期落成的九龍東英大廈仿效。舊萬宜大廈內曾經有一間名為紅寶石餐廳的西餐廳，是古典音樂愛好者的根據地，已故香港資深音樂人陳浩才就曾經在該餐廳主持紅寶石音樂會。……喜歡古典音樂及音樂音響的上了年紀樂迷，不少應該去過或者知道六、七十年代的紅寶石餐廳晚餐唱片欣賞會。

——四零後〈萬宜大廈跟陳浩才先生〉，見二〇一七年十二月八日四零後博客：https://johnklon.blogspot.com/2017/12/blog-post_73.html

重溫舊夢

最近，在圖書館把《中國學生周報》重讀了一遍，記憶、感情、歷史、客觀資料分析……混成一體，重溫舊夢，才知道歷來記得的只是舊夢的某一片段——某些片段突顯了，幾乎遮蓋舊夢的大部分，又或者幾個片段鏡頭，如蒙太奇式的剪接了，構成一個與原貌完全不同的「真相」。

舊夢，「不可靠」，但可愛也在此。

從小學到中學，從中學到大學，做小學生中學生大學生到當教師，自讀者身份到作者身份，讀周報，年限不算短，這個舊夢也夠長，正因夠長，忘掉的片段其實又很多，重溫的時候，就有了全新的發現，那驚喜、那詫異、那熟悉、那陌生，種種滋味，眉梢心底，一言難盡。

二十多年來，伴隨我成長的一份刊物，它究竟是怎樣子的？在有些人口中——也是記憶中，它是一個樣子；在有些人口中——從來沒看過它，卻想當然地談論它的，又是一個樣子。

在這次重讀中，我明白它更多一點點。

邊讀邊做了些筆記，也影印些資料，並不準備做甚麼學術論文，只是想讓舊夢全面些，踏實些。我已過了造夢的年齡，要踏實，才證明它曾經如此深影響過我。不能寫學術論文，因為筆下必然帶了不自知的感情，寫來怕又是神話一宗。

是神話，又如何？哪一個民族沒有神話？哪一個純真童年沒有相信過神話？民族成長就靠一個個祖先傳下的神話原型推動。我的成長，靠它的養分也很多，我認了，重讀它，我有了這認了的勇氣。

過了造夢的年齡，卻到了回憶的年齡，對一份如此深影響過我的刊物，就讓我回憶吧！

（重讀《中國學生周報》手記之一）

——刊一九九五年六月九日《星島日報》副刊「七好文集」專欄。

一九九五年

神話？蠢話？

《中國學生周報》創刊那一年（一九五二年），我才讀小學四年級，懵懵懂懂的甚麼都不知道。年輕的校長剛從北京大學回來，接替了老校長的工作，就開始要我們背誦許多白話文，也聘用了許多講國語的老師，走廊的壁報貼了許多剪報，其中就有《中國學生周報》。

可是，那些報紙上，說些甚麼，小學生並不理解，現在也一點記不起來。

會考後，升入金文泰中學，是所官立學校，一切顯得十分規矩：五十年代，政府防共恐共得十分厲害，學校沒有任何學生活動。記得初中三那年，班裡愛好文藝的同學組織了「毅青社」，辦了一個純文藝創作的壁報，全上了板面，仍因沒有老師肯簽字擔保內容「安全」，我們含淚把它拆下來。但現在想起來，卻奇怪校方怎會讓校工拿了《中國學生周報》，後來還有《青年樂園》到課室裡售賣？

由於我從小就愛看報紙，因此，每星期都會買。小息時，工友售報，如果我不在，他也會把報紙放在我的書桌上，容後收錢。我正式看周報，已經是一九五五年，錯過了錢穆、唐君毅、張丕介諸位老師為《周報》寫的文章，卻正迎上了司馬長風先生用秋貞理作筆名寫的專欄：《生活與思想》。

在專欄裡，他談理想，談如何使人生接近合理，怎樣求真善美，甚麼是自由，怎樣發展精神生活……現在看起來，也許有人認為高調而空泛，但五十年代的中學生，需要的就是這些純化的理論。我們真的相信人生應有崇高的理想，要為真理獻身，要朝向中國文化，要堂堂的做個人。對於現在的年輕一代來說，這些我們相信過的話，不是神話，而是蠢話，難怪他們懷疑。

（重讀《中國學生周報》手記之二）

——刊一九九五年六月十三日《星島日報》副刊「七好文集」專欄。

一九九五年

思考角度

五十年代，距今已四十年了，那時候，青年人的生活、思想、行為，在今天看來，實在不可思議，說好聽的叫做純，不好聽的叫做「蠢」。

生活匱乏，經濟不景，中學生懂得艱難，不埋怨，很知足。社會變化不大，我們就天天過日子。

《中國學生周報》的內容，也朝著這種純化方向發展，從而加強了我們的生活信念，從純化角度思考問題。

周報在五十年代，曾有過一次討論，或者叫作聲討更合適些，就是「穿牛仔褲是飛仔」的問題。我印象特別深刻，因為班裡有個女同學，穿了牛仔褲，在街上給人碰見，一傳十，十傳百，在學校裡人人視她為飛女，累得她哭哭啼啼。九十年代，連阿公阿婆都可能穿牛仔褲的時代，能想像穿牛仔褲要聲討的日子嗎？五十年代，我們是相信的。

但到了六十年代末七十年代初，隨著時代社會變化，五十年代培養出來的作者編者已經成長，他們在純化基礎上，開展眼界，實踐了思考獨立的探索。那時候世界正面對青年反叛浪潮，阿飛又再成為社會關注的話題，《周報》為此，做了一個「青年問題」專輯，訪問了唐牟兩位老師。牟宗三老師從極寬宏層次談青年的反叛是「常道」，毋須大驚小怪，也毫無辦法。那訪問很長，下一期就跟進了王淇的《阿飛自白》和《從阿飛自白學到的並駁牟宗三先生的論點》。王淇大概看不明白牟先生的訪問重點，誤解了說牟先生要對阿飛「勞改」。現在看來，這誤會也不重要了，可是我認為從這兩三期專輯，足可反映了《周報》的步伐是貼近社會變化，而刊出反駁牟先生的文章，也表示了開放、闊角度的討論態度，實踐五十年代培養出來的獨立思考理念。

（重讀《中國學生周報》手記之三）

——刊一九九五年六月十四日《星島日報》副刊「七好文集」專欄。

美援？反共？

提起《中國學生周報》，許多人總會把它跟「美援（元）文化」、「反共」聯繫在一起。當年，它如何接受美援，並非讀者作者知道的事，但作為讀者，從報上吸收的是些甚麼思想感情，卻值得注意。

重讀周報，反省自己究竟從那裡得到的是甚麼，就發現我長年汲取的是：文化中國的認知與感情，和一個多元化世界的探求。

《創刊詞》中這麼說：「人類文明正面臨著空前的危機，中國文化已遭到徹底的破壞，我們這一代的青年學生面對著這股歷史的逆流，實在無法再緘默了。」負起時代責任，就是盼望「以獨立自主的姿態，討論我們的一切問題，從娛樂到藝術，從學識到文化，從思想到生活，都是我們研究和寫作的對象。……進而溝通中西文化，替未來的中國摸索出一條正確的出路來。」我們試核對二十多年來的周報，不難證實以上一段話不是徒托空言，歷任編輯正朝著這個方向逐步前進——前進得有點迂迴，有更多的修正，特別是六十年代中葉以後，本地化的關懷，對中國和香港關係的探討等等增多，假如「美援」的作用是這樣的話，我不能理解這對美國有甚麼「好」處？

至於「反共」，五十年代初、中葉，色彩相當明顯，流亡知識分子、學生筆下，國破家亡的控訴，說是政治的反動，不如說是個人遭遇的悲愴。秋貞理在《生活與思想》中的專欄，有著濃厚的家國之思，現在重看，他也有許多反共言論，但實在奇怪，我記得的，該說深受影響的，卻不是那些，而是他文中呈現的強烈中國文化、民族認同感，和對祖國河山的憶念，更重要的是他灌輸了民主、獨立思考、理想等等官立中學沒有教給我的成長養分。

六十年代，甚麼流亡學生「我們的控訴」文字不再出現。如果嚴格說「反共」的文字，也不是沒有。例如一九六二年的「五月逃亡潮」，那一次中華民族的飢餓大逃亡，驚醒了香港市民。普通市民、大學生紛紛在粉嶺、沙頭角、梧桐山的土地上，在荷槍實彈的軍警戒備中，甘抗戒嚴令近距離地接濟了無數瀕臨死亡的同胞。我從梧桐寨村避過軍警直升機搜捕，帶著一疊同胞委託的尋人地址回到市區，剛巧就讀到周報封面頭條的《血淚繪成的流亡圖》，悲憤之情至今難忘。以後連續幾期的特寫和社論，都對引發這悲劇的「共產政權」指摘，但現在重讀，才發現文中，敘述香港市民的反應，對逃亡者悲憫之情，多於對政權的指摘。此外對香港政府、台灣政府、聯合國人權組織的指摘更多。

另外，一九六六年以後，對文化大革命的反應，周報也很強烈。從文化角度，關心備受破壞的傳統中國文化，甚至充分表現了香港人無能為力的悲哀。當然，也有「不敬」的手法：六十年代中葉，本地成長一代，開始顯現了用嘻笑怒罵的方式，表達自己既關心卻又無力的感覺，《快活谷》的作品，正好是這時期的「反共」典型。

六十年代末，蘇聯入侵布拉格、香港暴動兩件大事，周報仍站在人道立場表現反對聲音。可惜不知何故一九六七年下半年的周報欠缺，無法尋回對暴動期間的反應，看一九六八年上半年存報，可見總站在香港民生與穩定的關注角度來反對暴亂。至於蘇軍坦克入侵布拉格，我早在布拉格之春在周報首次知道捷克這個國家。一九六八年八月蘇軍入侵，周報在十一月就刊出了方圓、吳昊合譯的《來自布拉格——一篇非「官方」報道》，讓我們通過外國記者描繪，得悉那古老城市遭踐踏的情況。

十九年後，我踏足布拉格市中心和那老城廣場，忽然有極熟悉的感覺，怦然心動，當時不知道甚麼原因，今回重讀周報譯文，才曉得一切記憶竟來自那篇報道，十九年來如此入心入肺。遠在東歐的陌生異國，對我這個香港人有何關係？如果那就是反蘇，或「反共」的意識作祟，那我也無話可說。

儘管每年雙十節，周報都會以首版套紅作專輯紀念。青天白日滿地紅的「國旗」一年一度耀目，但說到台灣的話題，幾乎沒有。主題重點多在重溫中國革命歷史、孫中山的革命理論、如何建設未來中國、怎樣學習革命先烈犧牲一己性命，拋頭顱，灑熱血，使中國富強起來。一九六九年雙十特刊，胡菊人寫了《兩日無光》，文末說：「現在我們國家的象徵，都有兩個『日』，一個是紅的，一個是白的，都沒有陽光的溫暖。……」這樣紀念雙十，恐怕不單只是「反共」，對中國國民黨，也不見得怎樣尊敬，但卻反映了香港人部分看法。同一版，古蒼梧《中國將會變》，以堅定而快樂的語調引述近代史教授的說法：「社會主義國家的統治也會變得更開放，更民主……你們這一代是幸福的，因為你們將會看到中國的變。那時你們都可以回老家去，都可以去登泰山、遊西湖。」然後說：「目前我們需要的只是一份忍耐而已。」假如，這些也叫「反共」言論，我也無話可說了。

我從周報獲得的不是甚麼「反共」意識，而是一種殖民地教育所欠缺的愛國精神。不是狹隘的愛國，不是時髦的愛國，而是深植於中國文化、中華民族的血脈關懷。對於生長於香港的青年一代如我，這極愛中國的理念，是多麼寶貴。一筆寫來「美元文化」，一句評為「反共」，這連摸象的盲人都不如。

（重讀《中國學生周報》手記之四）

——分上、中、下三篇刊一九九五年六月二十三、二十四及二十五日《星島日報》副刊「七好文集」專欄。

南來話語

一份具有二十多年歷史的報紙，沒有變化是不可能的事，問題卻在怎樣變，變得好不好。

周報的內容和編輯精神，顯然隨著不同的編輯有了極大變化。五十年代，一群從大陸流亡來港的文化人——如果自三十年代算起，他們已經是第三代的南來文化人了，帶著濃烈的反共意識，卻又深陷於人地生疏、生活困難、思念家國的苦惱折磨中，辦起報刊來。他們逃避共產政權而來，「反共」，是理所當然的，但更重要的，是他們來自大陸，對這個邊緣殖民地小島，深深感到它的文化淺薄，自覺或不自覺地要「負起時代責任」外，還要在這小島開闢一條出路：理想的中國文化出路。所以，他們談文化、談理想、談愛國愛民族，話題沉重而偉大。在感情宣洩方面，他們又恰恰相反的表現了軟弱無奈而瑣碎。讀五十年代的創作，一片海、夜、雨、故園憶念、新地貧窮苦悶聲中，彷彿昏睡人的夢囈。這種矛盾，當時讀者有沒有察覺，是一件值得思考的事。現在讀起來，這矛盾就很突顯。

在沉重與軟弱、堅持與無奈之間，我們這群香港青年讀者，究竟接受了甚麼訊息？配合五十年代的香港社會情況來考查，似乎我們在朦朦朧朧中照單全收。陌生而沉重的國家民族情懷，隨著周報的理論、文學作品慢慢滲入心脾。面對的現實世界，我們沒有故國家國之思，但開始探索人生的年齡不免苦悶，而五十年代的貧困匱乏，也足夠使我們隱約地感到無奈與軟弱。

在思想之外，讀者同時汲取了一些常見的文藝技巧，或者應該說風格或腔調。配合編輯的口味取捨，五十年代周報的青年投稿者風格，許多都幾乎同出一轍，都是南來話語。

（重讀《中國學生周報》手記之五）

——刊一九九五年七月六日《星島日報》副刊「七好文集」專欄。

一九九五年

變化

正如以往兩代南來文化人一樣，五十年代南來者對香港這都市並無好感，陌生與生活彷徨是原因之一，最重要還是他們的心與眼都不放在這小島上。

他們以過客身份，心繫故國，筆下偶爾提及這殖民地，都充滿荒涼陰暗，至於文藝文化，更不足觀。他們總是擁抱著回憶來跟現居地作種種比較，這個暫居地就更乏善足陳了。

五十年代，香港在戰後元氣未復，貧窮是一般人都得面對的。山邊和天台木屋、天台小學、童工、小販、苦力……貧苦大眾拖著艱難步伐活一天算一天，加上貪污行賄，本地人也不見得活得順意。周報在五十年代中，開設過《七十二行》新欄，讓各行業現身說法，一九五九年又設了《香港一日》的徵文比賽，得獎作品，年輕一代的本地作者，也從反映社會陰暗下筆。不知這是編輯角度選取如此，還是社會人心本就如此，總言之，五十年代的周報內容，提及香港的本來就不多，提及了也瀰漫著蒼涼愁苦，這算是寫實的結果吧？

不知道是社會現狀的確令年輕一代不滿，還是南來的文藝播種者發揮了影響力，這種對香港的憎惡感，一直纏糾著許多人的心，直到六十年代，才生變化。人們更在一場動亂中甦醒，重新檢視自己與香港的關係，和考慮自己的身份問題。這樣，他們筆下的香港，就另換新顏——香港社會實質也起了變化，經濟、秩序開始轉型，青年一代赫然發現自己與香港的依存關係，發現中國不再只是一個文化的存在，或詠歎對象，而是足以影響香港安危的實體。

五十年代南來人帶來的影響力，慢慢給本地人消化了，隨著時代變化，西方文化的進佔，六十年代，周報有了顯著的轉變。

（重讀《中國學生周報》手記之六）

——刊一九九五年七月七日《星島日報》副刊「七好文集」專欄。

一九九五年

香港面影

由描繪祖國山河、故園風貌，轉到注目本土，周報內容的轉變，痕跡很鮮明。編輯的轉換，讀者成長，漸漸成為作者，創作的路向，就再不是周報創刊初期的意願所能左右了。

本地成長的作者，不能再跟南來的開拓者那樣，帶著朦朧喟嘆著「夜的海」、「故園葉落」。在汲取三四十年代文學精華之外，他們更受到西方文化潮流的衝擊吸引，電影、音樂、美術、前衛的理論與技巧，五花八門，他們止不了腳步。外邊的社會也有許多與五十年代不同的變化，他們必須關注，因為這才是與自己關係最密切的題材。

一九六〇年七月廿八日，周報頭版專題是《未來的香港》，記者通過政府的城市發展藍圖，展示了新市鎮、住屋、交通等等的未來面目。文章末段這樣說：「幾年的時間並不算長，但幾年前的香港與今天的香港卻已變得面目全非，而幾年後的香港將改變了今天的香港面目，當然是意料中事，……我們拭目以待，靜看幾年後的香港蛻變吧！」拭目先看到的是：身處的香港現在如何，原來也有一個廣闊天地。

我試試借用一九六四年出現的三篇頭版文章，說明拭目後果：陸蠻《廣告裡面做文章》，從日常最熟悉的廣告，反映出一個商品勢力昂揚的都市面貌。陸離《香港電影院巡禮》，逐間戲院去數共有幾行座位，大堂門口的裝飾設計，乃至於食物部等等，完全是都市人消閒去處資料提供。華蓋《彌敦道抒情》，非常細緻地描畫了彌敦道的聲色，作者說那肉慾而瑰麗的面影，令他怦然心動。這都不是五十年代作者要寫或能寫的題材，鄉土文風褪色，屬於香港的都市文學開始形成了。

（重讀《中國學生周報》手記之七）

——刊一九九五年七月八日《星島日報》副刊「七好文集」專欄。

一九九五年

愛恨之間

我說五十年代，本港年輕一代對香港有憎惡感，沒有任何統計數據，很不科學，但跟同齡人談起，果然都道年輕時候的確對香港沒有好感，理由不明。

唸中學，凡學校集會，首先要唱英國國歌，我們學生輩總把第一句改成：個個孭住個煲……大概貪玩，也不排除不敬的意識在作祟。加上政府一貫殖民地統治策略裡，沒有在意培養市民歸屬感，香港人長期浮游於身世不明的境況中，對中國、對香港的認知朦朦朧朧。直到一九六五年銀行擠提、一九六六年天星小輪加價引發騷動、一九六七年暴動，一連串不安，驚醒了政府，更震動了年輕一代，我們無法逃避香港與自己的關係，香港究竟是個甚麼地方？我們該做些甚麼？我們是甚麼身份？……冰封已久的問題，忽然解凍。

一九六七年五月六日，新蒲崗發生工潮，引發往後差不多一年的暴動不安。五月二十五日，周報在動亂聲中搬進新蒲崗四美街的利森工業大廈，與工潮原發地大有街不過一街之隔。這一搬，真具象徵性，命運注定周報要直面另一種社會環境，接觸另一類人生，香港，已經轟然衝到面前了。

「初次聽到我們的報要搬進新蒲崗，第一個聯想我想起杜子美的詩句：細柳新蒲為誰綠。遷進了之後，每天上班下班，進出在勞工大眾和軋軋機聲之間，再也記不起杜子美了，這時卻有另一種美，一種沉潛的，卻又如此欲望上升的美……我渴望進入那些高聳多層的工廠大廈，我渴望親近那些言語喧嘩工作勤懇的勞工。……」

以上是周報編輯畢靈（吳平）在《新蒲崗人生觀》的第一段話，全文洋溢著對香港勞苦大眾的理解與肯定，同時也真實地反映了香港青年一代睜開眼睛看社會後的惶惑和思維。回頭再說理由不明的憎惡感。當一下子發現自己的生活，原來與香港呼吸張弛有那麼密切關係，就得重新調整對它的感情。

一九六八年一月，吳平在文藝版推出了《香港風情》專題。他寫了很長的編後記：《香港風情引——代編後》，他舉了兩篇作品為例，向讀者說明他所盼望的文藝創作是怎樣的，香港風情又該是甚麼題材。兩篇作品是：一九六六年西西的《東城故事》，一九六五年舒巷城的《鯉魚門之霧》。

吳平在該文開首，對自己作了一番剖白，我想正能說明五六十年代成長一代對香港的感情狀態：

「直到這時，我依舊不能使自己相信，一個在香港生活長大的人，能不對香港發生過一段憎惡的感情。……就我自己來說，我想我的憎惡大概已經過去了。我正在擔心，許是由於把那種憎惡的感情保持太長久了，有一種厭倦的感覺，正漸漸地蔓延在我體內，隱秘地、像黑行者逐漸快了的腳步那樣地不易被察覺。……我滿懷恐懼地注視這心內麻痹著的一塊癱瘓，我切望有勇氣把它揭掉。如果我能夠，請讓我更劇烈地憎惡這土地，若不，讓我看到你更多美麗之處，換過歡愉的眼神去熱愛於你。憎惡或是愛，總有它的是處，麻痹，這是我所畏懼的，卻甚麼都不是。我出了香港風情這個專題的題目，我盼望，我們的作者，都來把他對香港的愛、憎寫下，從個人的視點出發，深入地，把香港的現實從各種不同角度表現出來。『風情』二字，在此是『現實』的代名詞。……」

（重讀《中國學生周報》手記之八）

把視線投向現實的香港，感情就變得複雜了。香港究竟是一個怎樣的世界？我是甚麼人？一切愛恨，得從頭細數。周報也在不知不覺間轉移了它的步伐，也有了新的抉擇。

——分上、下兩篇刊一九九五年八月十七及十八日《星島日報》副刊「七好文集」專欄。

一九九五年

青年的抉擇

人口年輕化，自一九六七年暴動後，是一個突顯的問題。香港政府辦新潮舞會、社會福利署辦青年聚談會，視線投在那影響力可大可小的青年人身上，成為六十年代末期的非常關懷。

周報本來就是一份以青年人為對象的報刊，六十年代中葉，它連編輯也年輕化了，表現青年應有的敏感與衝動，是理所當然的。而同時，這群多由讀者、作者身份轉化而成編者的人，也承受著五十年代編者的理想，沿著關注中國、考慮自身的道徑向前行，他們考慮的問題，比上一輩要複雜些，面對社會的急劇轉型，青年有另一種徬徨。

一九六八年，周報舉辦了多次「青年議論會」，顯然與五十年代通訊組的話劇、音樂、舞蹈等活動有了極大差別，多集中探討青年與社會、國家、世界的關係、青年自身的苦惱等課題。又闢了《我們年輕的人物》一欄，一九七〇年更有一個相當龐大的《青年問題專輯》，請來三位大師：唐君毅、牟宗三、郭任遠談青年問題。他們在二十多年前所說的，今天重看，還是那麼「新」，那麼深遠，我實在驚訝他們的「預言」的準確，也對準了香港青年的徬徨。

一九七〇年一月，《香港華籍青年何去何從？個人？香港？中國？世界？》專輯的出現，是青年自覺地檢視個人歸屬身份的機會。從迷惘中，看出自己的尷尬處境，這是一次艱難的抉擇。原來，早在二十五年前，香港青年就在抉擇。看著一個個陌生名字：凌杞若、方琪、陳國華、呂崑、周魯逸、榕園……他們現在人到中年了，身在哪兒？還在香港某一角落，默默地為香港、中國做著該做的事呢？還是在天涯海角，尋找另一種歸屬？

（重讀《中國學生周報》手記之九）

——分上、下兩篇刊一九九五年七月二十四日《星島日報》副刊「七好文集」專欄。

一九九五年

關注社會

> 一九六七年的暴動，有如一口巨鐘，轟然驚醒了香港整個社會。原來社群生活，是憂戚相關的。青年一代在艱難抉擇中，同時看出了無數社會問題，也開始投身入世，愈走愈接近一種「毫無餘地的抉擇」了。（鍾玲玲《七七，和，或者再見香港》，一九七一年七月廿三日）

翻閱七〇年代初的周報，頭版和專輯社會性之強，是五十年代讀者夢想不到的。青年問題、社會福利、空氣污染、旺角土地利用調查、支持隧道工人罷工、香港勞資關係、從社會文化因素看青少年暴力行為、安定繁榮之下的香港社會危機、土瓜灣盲人輔導會的遭遇、從元州仔到三水角——記元州仔火災災民的遭遇、政府徙置危樓居民政策、油麻地避風塘艇戶事件……一連串民生難題，現在看來還是有血有肉。當年報刊、電台、電視對探究社會問題，沒有像今天的熱衷，屬於青年的刊物，卻如此投入，意義就更重大了。

我是個怕事而退避的人，當年許多如火的社會運動，都不敢參加。現在翻閱著周報，一宗宗關懷社會、國家命運的事件：中文合法化運動、保釣運動、七七維園示威……熟悉的名字身影不斷在晃動，跟他們今天的名字身影重疊，我內心泛起陣陣羞愧，是他們，那麼早——二十多年前，就為這個社會獻身——為一個沉睡已久的殖民地，開拓新路，展開耳目，雖然在當時未獲全面肯定，也不知道歷史會如何寫他們，但畢竟他們是先行者。周報記錄了他們的艱辛，對比阿婆阿伯也懂上街示威和爭取權益的今天，真不知道當日行路艱難。

周報關注香港社會，是時勢使然？是編者讀者的自發？是一股必然的趨向力的互動？該是值得研究的課題。

（重讀《中國學生周報》手記之十）

——刊一九九五年八月十四日《星島日報》副刊「七好文集」專欄。

本土化進程

《中國學生周報》的本土關懷，從何時何人開始？沒有一條清晰界線。社會在變化，人的來去與成長，都是互動因素，周報本身不僵化在甚麼規條中，自自然然就走向現實應走的道路。

由中國到本土，是愈走愈窄，還是愈走愈踏實？這留給後人評說。周報的確在某些部分，顯示了這一特性——它同時又保留著其他特性，形成一種多元性格。現試用《生活與思想》版中，先後出現的三個專欄為例，說明由中國到本土的進程。

一九五四年開始，秋貞理（司馬長風）寫一種不闢欄的專欄文字，以中國知識分子角度，向青年人宣示國家民族意識，談愛國愛鄉，談理想、學問、文化、個人修養，成為當年許多香港青年學子的學習指標。一九六三年，何真（戴天）寫《教師手記》，就以作為香港教師的自身所思所感為主，往往從世界文化角度，檢視反省在中西文化交接中的香港教育處境。正因為這樣，他談的不再如秋貞理的傳統，卻用新的知識來檢視本土的差距，就引起了許多指摘與批評，何真認為這些謾罵正顯示了「他們的知識，大都關閉在一個特定的模式之中」。一九六九年，小思負責《路上談》，就把關注收得好窄，幾乎不再提及傳統文化，更沒有西方新知，焦點全集中在本土的青年人身上。關心的是他們生活面臨的困境、心理狀態，然後提供一些到皮不到肉的所謂解決辦法。內容針對當時的青年苦悶的問題，但又迴避了外面社會如火如荼的激烈行動，這種溫吞，表面是十分安全，實質卻是另類箝制。

深信當時的作者、編者都沒有預先設定一條如此走的道路，現在卻清清楚楚看到歷史就是這樣發展，二十多年，變化面貌，誰也不能不認賬。

（重讀《中國學生周報》手記之十一）

——刊一九九五年八月十五日《星島日報》副刊「七好文集」專欄。

追源

《中國學生周報》的多元性格，在不同的版面上，很清楚顯示出來。我連篇說周報本土化的當兒，心裡就打定主意，得趕緊接著寫周報怎樣同樣關心中國現代文學的情況。

新亞中文系沒開設現代文學課，引起我對現代文學注意的，就是周報「讀書研究」版上介紹的一連串陌生名字和作品。說來慚愧，沈從文、戴望舒、聞一多、卞之琳、王辛笛、姚雪垠……這些名字，我還是第一次在周報上看到。

一九六四年七月，周報推出了《五四、抗戰中國文藝新檢閱》專輯，開列了小說、詩集、戲劇的書目，更有許多文字介紹了現代文學的發展，正如編者所說：「……端木蕻良、穆時英、錢鍾書、無名氏……艾青、馮至……他們，還有其他許多的他們，都是在五四到抗戰期間躍出而現今已少為人知（甚至無名）的英雄。他們的聲名給『正統作家』們蓋過了，他們的作品被戰亂的烽火燒毀了。但是，他們對當代中國文藝的影響是永遠潛在的，他們的功績是不可磨滅的。……我們不敢說有甚麼新發現或新評價，只希望能夠提醒今日的讀者們：不要忘記從五四到抗戰到現在這一份血緣。」這個專輯幾乎是一冊濃縮了的現代文學史，我這樣說沒有誇大，六十年代，我們讀不到現代文學史——不是我們不想讀，而是在書店裡實在買不到。看介紹作品的文字，提及的作品，也沒法子買到，只好零篇斷簡地欣賞研讀，但無論怎樣，這專輯令盲於現代文學的我，大開眼界。此期英文版刊出崑南英譯王辛笛的詩兩首，附了原作，我們驚訝而歡喜，就出現了手抄《手掌集》的熱潮（那時候造夢也沒想過有影印機這回事）。一切對現代文學的認識，就自此始。

我們如渴者求水，只盼能多讀點作品，斷斷續續從周報上讀到的其實也不多，但總比從前好多了。

一九七一年七月，周報刊出黃俊東的《雲封霧鎖三四十年代文學》長文，可以說是六十年代那專輯的延續與反省。這篇文章除了介紹評論一些鮮為人知的作家作品外，最重要部分在最後幾段，他提出了現代文學被忽視的原因，更提到香港出版界、教育界的缺失，慨嘆香港學者沒有研究三四十年代文學的勇氣和熱心，二十年前說這些話，真不簡單。文章引起回應，周報開始做「我國三四十年代文學寶藏的發掘工作」，八月開始了由黃俊東執筆的《三四十年代風》專欄，他藏書豐富，現代文學知識就在專欄裡流瀉出來，而坊間許多由年輕人辦的書店，也開始翻印大量罕見作品，互相配合，發掘寶藏的工作，就做起來了。

七十年代初，文化大革命還如火如荼，台灣也把三四十年代現代文學視為禁區，孤懸海外的一個殖民地小島，卻有人自覺地為那些因種種原因給雲封霧鎖的現代文學，撥開雲霧。儘管資料不足，但仍努力而為，這是可貴的。刊物有沒有影響力，有沒有貢獻，要看編者、作者有沒有預見能力。開拓一條新路，艱難得很，這條路又經得起考驗，才叫後來人念念不忘。

細想六十至七十年代，周報在生活層面上，關注本土，在文藝層面上，又回顧中國，究竟有沒有矛盾呢？其實，周報其他版面，同時也介紹西方文藝、思潮，創作方面也大量刊出本地作者的作品，那要總括而論，就不太容易。正因如此，我才說周報多元化發展。不過，多元，仍守著一條脈絡：立足香港，面向世界，追源中國。

（重讀《中國學生周報》手記之十二）

——分上、下兩篇刊一九九五年八月二十四及二十五日《星島日報》副刊「七好文集」專欄。

歷史與影響

「力匡先生的時代，已經過去了。」一九六五年七月，陸離在《學生文運專輯》中寫了一篇《文社紛立的隱因》，裡面很冷靜地客觀地說了這話。

播種的人自然不盼望：種子永遠是種子的樣子。大樹婆娑，有花有果，生命與姿態就應自成一格。一個時代的過去，是標誌了前進的腳步，沒有值得慨嘆的。

翻閱周報，不難注意到一些今天仍熟悉的名字。崑南，一九五二年得高中徵文比賽第九名，李英豪一九五七年得初中徵文比賽第三名，西西在五十年代末還是中學生……他們也在別的報刊上投稿，向著文藝創作挪移著腳步。且看幾年後，這些腳步已經跑出了另外新路了：《詩朵》、《文藝新潮》、《新思潮》、新的寫作手法。崑南甚至在《我的回顧》（一九六五年）中，信心十足的說：「《文藝新潮》出現了，我認為，這才是香港文壇的一座永遠轟立不倒的里程碑。它的出現後，五四運動的『幽靈』不得不匿在一角，因為它帶領大家首次認識一九五〇年至一九五五年的世界文壇的面目，這是一個空白，由《文藝新潮》的拓墾者填補了。」這是新一代人衝破局限的方式，當然也包括失去文壇偶像的中學生紛紛組成文社，去顯示對文藝的熱誠。

社會情況急劇轉變，文化形式也不斷地改變，《中國學生周報》的發展，正好包容了文化發展的縮影。傳統與現代、新與舊、中國與香港、文學與新媒體……種種形式，在矛盾與距離的衝擊下，在毫無成見的編輯方針中，呈現在青年讀者面前，讓新一代人有了多種視野的選擇，以後的日子，他們就走向天大地大的前途。

在往後的香港文化層面，這些人發揮了不同程度的效用，絕不是偶然的事。

多樣化的發展，適合多樣化的讀者口味，也培養了多樣化的人才。

至今仍為人津津樂道的，是當年周報的《電影版》。影評、電影分析，到後來拍攝的實踐，都充分表現周報的培植之功。早在一九六五年，陸離已經預言：「今天《中國學生周報》有一定影響力而又眾口皆碑者唯電影版足以當之。作為另一種偶像，本報的影評勉強算是一個可以讓中學生們仰視的地方。」讀者在香港還只看荷里活片的時候，就知道了許多歐洲電影大師和作品，那麼早石琪就提出要成立電影資料館，為了一套電影，不同的影評在爭得面紅耳熱，然後有「大影會」等等，現在也不必細說了。

現在連小孩子也玩膩了的小狗史諾皮，牠最早是隨《花生》群在一九六一年出現周報上。《音樂版》既介紹古典西洋音樂，也推介披頭四。一九七一年，周報已出了《電腦在香港》小輯。《快活谷》在張隨、陸離手中，由轉載《瘋狂》雜誌，到少雅、劉天賜的出現，已經成了讀者念念不忘的個性。

一份「反共」周報，在一九七〇年就刊出了胡志明獄中詩，一九七一年號召香港青年進工廠體驗生活，又出版了紀念「七七」示威特刊，這是何種面貌？

陸離與吳仲賢不同「政見」的對話，刊出讀者罵她暮氣沉沉的來信，也刊出劉天賜罵她「太情緒化去做任何一件事」、罵她編輯不用心等等的信，這是何種胸襟？

雜誌報刊要具影響力，必須在編輯方針上，既有預見而無成見。也許，當年周報編輯們並沒有設想得如我所說的那麼周全，也不是那麼「偉大」，但他們的確比許多讀者走先了幾步，就那麼樣做了今天如神話般的事實。

它已成歷史，但影響力不能抹煞！

（重讀《中國學生周報》手記之十三）

——分上、下兩篇刊一九九五年九月八及九日《星島日報》副刊「七好文集」專欄。

去矣

周報讀者一天一天長大、成熟，各自走向不同的道路，逐漸，與周報的距離愈來愈遠。七十年代，社會急劇變化，老讀者到了外邊世界經風經雨，回過頭來，就特別覺得周報的步伐慢了。孩子長大，總覺母親千般不順眼，特別對於本來屬於「優點」的個性，成年後就認為是「缺點」了。

一九七〇年劉天賜給陸離的一封信，就強烈批評了陸離做事太情緒化，也說出了「我們長大了，見的事自然多，想的東西亦自然較深入。……當我還唸F1、F2的時候，她帶給我很多知識（如電影版），啓發我不少思想能力（如生活與思想版），帶給我不少瘋狂的笑聲（快活谷版），但現在，我需要的不再是單純這些了。……周報的水準和對象，我毫無理由要求她跟著某一時期讀者的年齡而進步，而長大。……」這種處境，周報真是舉步維艱。此外，還有部分讀者深受當時流行的認中關社意識影響，對周報編者太重個人感情，大不以為然。再加上人手短缺，只有兩個編輯「一腳踢」，有讀者就認為編輯「懶惰」而不加體諒，編者承受的壓力也愈來愈大。

當然，還有一批還未成長的讀者，他們就像那些已「老去」的讀者未「老」的時候一般，成為「周報迷」，每星期去報攤等周報「出爐」、寫十分熱情的讀者來函，後來更為「救亡」而上街貼海報，但一切都屬少數，因為七十年代，香港社會，實在太多吸引力：享受消費、挑戰批判、認中關社……青年人不再只滿足於一份文字資訊的刊物，他們早已邁開大步，向四方水銀瀉地。

曾經有熱心者採取不同方式努力「救亡」，畢竟，時代轉變，友聯出版社收縮，編輯意興闌珊等等因素，一切已成定局，周報去矣！

（重讀《中國學生周報》手記之十四）

——刊一九九五年九月二十一日《星島日報》副刊「七好文集」專欄。

完結

各版編輯性格的顯現，是《中國學生周報》留給讀者最深刻的印象。通過版面呈現、通信交流，周報讀者與編者有著不必見面，卻十分熟知的親密感情——這是日後老去讀者都有的回憶。胡菊人的憂民傷國、陳特、羅卡的冷靜理性、陸離的熱烈癡迷、吳平的投入關懷、張隨的靜態幽默……本地成長的年輕編者，六十年代中葉以後，以文字處理方法，與年輕讀者作者交往，影響力很深遠。

蓬草、綠騎士在回憶中，總不忘提及吳平怎樣在信裡細意指導，我更感謝在寫第一、二個專欄時，陳特、羅卡的嚴謹要求，還有吳平退稿附信的提示說明，一切對初學寫作的人，都是珍貴的。

編輯應不應該在版面上，突顯自己的個性？我沒有研究，不能在學理方面作批評，但在感情方面，他們卻成功地吸引著不同的讀者。「吸引力」，實在重要。擁有一群知己知彼，每周非買非讀周報不可的人，然後吸引他們自己動筆寫，動手出版自己的報刊，日後走出不同的面貌、道路來，這就是他們念念不忘的原因——儘管他們已經與周報截然不同了。

個性突顯，就突現了「人」。

在版面文字中，顯現了人情人性，讀者接受了許多不同人的訊息，又回應過去，成了人的交流。那已經不再只是知識、冷資訊的傳遞，而是性情傳遞。性情有強有弱，有冷有熱，讀者各取所需，時刻與周報憂戚相關，苦樂與共，關係就建立起來了。

這樣的關係好不好？依賴了「人」會不會危險？講究理性、人權獨立、事事訴於法制的人自有一套理論。但事過境遷，今天看來，周報這種個性，又沒有甚麼不好，也不見危險。老去的讀者，各自走上應走的路，無論怎樣，周報，算是功成身退。

（重讀《中國學生周報》手記完結篇）

——刊一九九五年十月五日《星島日報》副刊「七好文集」專欄。

買玩具

一九九五年

我揉揉有點痠痛的膝蓋和小腿，並決定這是最後一間我要進去的玩具店。

「隨便看看，……要買給幾歲孩子玩的？……」這店的女售貨員跟以前幾間玩具店的不同，很殷勤一直在我身邊說話。

「歲數不同的孩子玩不同的玩具，孩子幾歲？也許我可以介紹幾款。」「嗯！……謝謝，還是我自己隨便先看看。」售貨員顯得沒趣，走開了。

該買幾歲的？一歲至三歲？五歲至六歲？顏色砌塊？旋轉認圖？按鈕的？手把的？每盒都印上說明文字，說明玩具對孩子的功能，我沒細看。陳列架好幾排，品種真多，我來回走了幾趟，愈走愈心情沉重。

終於，買了一盒利用膠印繪圖填色小工具，膠印上有小貓、小狗、小兔，附帶一個印色台，幾枝顏色蠟筆。付款時，女售貨員一邊包紮一邊說：「哦！五歲孩子玩的。」

街上很悶熱，大概又要打風了。

下了車，按著地址，我走上大廈二樓。一進門，一股凝固空氣罩頭而來。廚房煮飯油煙味、不健康身體發出的臭味、廁所的曖昧溲味，全凝在小小廳堂裡。兩座電風扇勉力在搖動，沒起作用。

「我找陳老師。」廳裡坐著幾個老人，神情呆滯，空洞眼光慢慢集中在我身上。穿著發黃白袍的女人懶得手也不提，嘴巴努一下算是指引，努向一輛輪椅。

「陳老師，我是……」「呀！呀！……你係……呀！呀！」八十多歲的老人，有一張哭笑不分的臉，口水一滴一滴從嘴唇流下。

我打開玩具盒，一件一件配件拿出來，細意把著她的手，教她怎樣玩。「呀！呀！……」我忽然感到很熟悉，那雙手在小學一年級時把過我的手，教我寫人手足刀尺……。

——刊一九九五年十月七日《星島日報》副刊「七好文集」專欄。

一九九六年

周修女

說起當年教育界反對披頭士的情況，不禁想起自己的幸運，遇上開通明理的上司——周修女。

六十年代末，香港社會動盪，經濟也在轉型，教育界面臨新舊思想衝擊，有點不知所措。我們一群六十年代中葉大學畢業的教師，許多都在思索應帶學生走上一條怎樣的道路，當校長的就很怕我們「搞事」。

我卻遇上一位不怕「搞事」的修女校長。感謝她，容讓我在學校裡獲得適度自由，做應做可做的事。

為甚麼要從披頭士說起呢？事緣我叫學生去看披頭士的「黃色潛水艇」。（其實，我帶學生去看許多文娛節目，和參觀許多社會設施——六十年代，還未如今天流行校外活動，我已帶學生去參觀證券交易所、垃圾焚化爐、石鼓洲戒毒所……。）不知道誰告訴了校長，她就把我召入校長室，問我為甚麼叫學生去看狂人電影。我告訴她，那電影音樂很好，配合很前衛的動畫，愛美術設計的學生應該去開眼界，不是甚麼狂人電影。她聽後就再沒干預了。而學生也去看了，其中一人，回來利用了電影中常用的鮮黃鮮藍色彩和錯亂視覺技巧，為我設計好一張聖誕卡，我把它拿去印刷了，成為我第一張自印的聖誕卡。我送給周修女，還要她立刻看，她看來看去，仍看不出畫面暗藏了英文：「聖誕快樂、新年快樂」幾個字。經過一番努力，調校視線，她才忽然看到了，開心得大叫起來。第二年，她就叫那學生設計該校第一張自印聖誕卡，而學生從此充滿信心，畢業後就到外國去唸美術設計。今天，她已成為一位專業設計師。

在周修女的「縱容」下，我還「搞」了許多事，成為了教學歷程中難忘的紀錄。

——刊一九九六年一月四日《星島日報》副刊「七好文集」專欄。

參

❖「影響青年人走向瘋狂道路、放肆道路。」「我認為不應讓狂人樂隊之類在香港演出，難道還要提倡這種瘋狂的東西，製造更多阿飛嗎？」——當年《中國學生周報》就做了一個《狂人問題專號》，訪問了著名中學校長，以上是很典型的反對聲音。

——小思〈披頭士的啟示〉，見一九九五年十二月五日《星島日報》副刊「七好文集」專欄。

「搞」事

六十年代末七十年代初，經歷了暴動、經濟不景，香港人心惶惶，怎樣安定青少年的心，更是執政者和教育界所關注的。

周修女其實也怕我們年輕一輩教師「搞事」——這是她逝世前，在病牀前向我提起的，只是她還是很信任我們，默默地看著我們做，不出岔子就不干預。

她提及兩件事，說是她最擔心的。

暴動剛過，當時，吳靄儀、蓬草、我都在該校任教。吳剛在港大編過《學苑》，興致勃勃，說要教學生也出版一份校報，我們就起哄地說好。可是，當年還沒有中學生自辦校報的風氣，況且，油印大字報小字報剛留給人很恐怖的印象，她開始也不大同意讓學生全盤負責，要我們幾個老師監管審核。但吳靄儀不肯監與管，認為不符言論自由精神，事情就鬧僵了。後來，我與吳討論了很久，又跟周修女再商量，終於決定讓學生自辦，但事前由我們與學生詳細計劃。報紙出版，沒有出軌，大家才鬆一口氣。

另一件事是我組織學生演話劇。學校辦了一個文娛晚會，每級學生負責一項節目，我就據夏衍的《秋瑾傳》，改編成短劇。劇中強調秋瑾的愛國行為，也反映了清朝的腐敗。其中許多慷慨激昂的台詞，都由扮演秋瑾的學生唸出來。我讓她在「從容就義」前說了一段秋瑾的愛國文章，台上台下都感動得哭起來。到如今，我仍記得扮秋瑾的學生，那臉堅定而帶淚光的表情。我倒沒想到，秋瑾在台上振臂高呼：打倒滿清的當兒，台下的周修女是怎樣的緊張。

十多年後，在病床側，我看著她滿臉病容卻仍帶笑說：「你嚇得我好驚。但我知道你歡喜秋瑾，就由你去搞囉。」我實在十分感謝，也慶幸當年沒有搞出禍來。

——刊一九九六年一月九日《星島日報》副刊「七好文集」專欄

另類夜校

周修女能夠不干預我們「搞」事，是因為她自己也愛「搞」事。

七十年代初，政府和志願團體都還沒辦甚麼社區福利和成人教育活動。筲箕灣是山邊木屋和海邊艇戶雲集的老區，當時還未實施九年免費教育政策，失學的人很多，十多歲的漁民和工人，不識字沒知識，常常吃虧。

周修女看在眼裡，忽發奇想：辦一所夜校，讓漁民工友來上課。校舍現成，教師則請校友義務擔任；她要我當校長，並負責設計課程。有人提供校舍、教師和一切費用，年輕的我，不知天高地厚，就一口答應了。

沒有前例可援，針對當時需要，我設計的課程很奇怪但也很實用。中文科初級班教學生寫自己和家人的名字、地址，寫基本常用中文字。高級組教讀報讀各種公文單張。數學科教加減乘除，教上數簿記賬。此外，必須修讀的還有：聖約翰救傷隊教日常急救療傷課程，公民科教工廠條例、工人權益、漁民安全守則、各政府機關工作性質和地址。選修的：

烹飪、縫紉任選一科。現在看起來，這些設計很幼稚，野心卻很大，但在七十年代初，還算一番心意。

學生來自工廠、東大街、愛秩序村，年齡有大有小，日間職業是工人、捕魚、賣菜……。記得把著手教一個二十多歲的女漁民寫她的名字：張六娣，她說只喜歡寫「六」字，還好奇地問：為甚麼其他兩個字有那麼多「彎曲」？很可惜，正當她學會寫自己的名字的時候，她就退學了，因為父親把她嫁到香港仔艇上去。

這間另類夜校，維持了兩年，由於周修女調往田灣，我也到日本去唸書，就無疾而終了。周修女永不言休，不久又在香港仔辦起一所很正式的英文夜校來。

——刊一九九六年一月十六日《星島日報》副刊「七好文集」專欄。

參

❖ 關於嘉諾撒夜校的教與學，可參蔡寶瓊統籌《晚晚六點半——七十年代上夜校的女工》，香港：進一步多媒體有限公司，一九九八年；及蔡寶瓊《我很蠢，但我教書》，香港：進一步多媒體有限公司，二〇〇七年。

一九九六年

恩神父

說起辦義學，我又想起一個愛「搞」事的神父——恩保德神父。

這位說得一口流利廣東話（特別是粗口和社會常變口語）的外國神父，在六十年代末，基層民眾很熟悉他。當年還不像今天，平民百姓懂得爭取權益，貧民遇上事故，沒有社工或熱心人士幫忙，只好啞忍，部分會去找葉錫恩和恩保德，也許還會有點希望。

恩神父擁有一輛綿羊仔——當年流行的小型電單車，常駕著它東奔西跑，對人說它是自己的「老婆」。他既在教區工作，又在公教進行社辦中文刊物。六十年代末，他有感於銅鑼灣避風塘艇戶的孩子沒書讀，就在聖保祿女書院借用兩個課室，每天下午四點半以後，辦起漁民子弟義學來。

課室有了，學生也來了，可是他卻找不夠義務教師。朋友介紹，他輾轉找到了我。被他的傻勁感動，我答應教一班，每星期只上兩次課，這可說是有生以來，最頭痛最難為的教學經驗。原來，這不算甚麼學校，只按年齡分為兩班，也不在乎他們學到甚麼，只是讓孩子有機會腳踏實地，玩一下、唱唱歌（我教他們唱ABCDEFG），高聲讀讀太陽月亮。他們五六歲，一向沒有人管，骯髒得人人拖著鼻涕，每次上課前，我還要為他們洗手洗面，然後拖男帶女回課室去。小孩子不懂事，又坐不定，常常惹來借出課室的修女責罵。我使盡各種方法，都管不住他們，最後還得用「利誘」：全班都乖乖，上完課就派給一人一顆糖。不久，恩神父去了九龍灣木屋區，那義學就停辦了。

很久沒有恩神父的消息，有人告訴我，他在越戰後去越南傳道，給當地政府抓了，從此音訊全無。

我不是教友，但常在一些神職人員身上看到光，我學會了崇敬。

——刊一九九六年一月二十二日《星島日報》副刊「七好文集」專欄。

一九九六年

「有水放水」

據最近調查結果，香港青少年竟然對貪污行賄行為，並沒有太大反感，受訪者有幾乎一半認為「賄賂」是可以接受的。

我只能說，他們生活得太幸福了，根本不知道貪污的可恨可痛。

六十年代末七十年代初，香港市民深受貪污的折磨，我也很「幸福」，平凡生活裡沒有遇上要行賄的不幸事。但我卻永不忘記，一個學生給我上了活生生一課。

那時候，我擔任全校的「經濟及公共事務」科的課，教得十分起勁，安排課外參觀、剪報、討論小組，讓學生真切走出課本，關心社會——雖然，這個詞在當時很敏感。我也以為自己很關心社會，很了解民生。

那一年，筲箕灣東大街尾，船廠、木屋發生大火，我的學生多是那區居民，一夜之間，燒得傾家蕩產，孤身逃出。學校立刻發起捐助，為受災同學解決一時之急。事有湊巧，那星期的「經公科」，某一級正在開講「香港消防局」，我自然很正面地介紹消防局組織，消防員的工作意義。誰料我只講得一半，座中一個學生拍案而起——在當年，這是極大膽甚至不可能出現的動作，我和全班同學都嚇了一跳。我沉住氣，問她想怎樣，她說她恨死消防員。後來，她既憤且氣，帶淚說出火災當天，因為成年人多不在家，她親眼看住有些消防員不肯「開喉」，只為沒有人能作主給他們賞錢。就是這樣，一家老小慌忙逃生，看著家園被燬了。這就是當年流傳的「有水放水，冇水散水」的順口溜寫照。

現在，每當看見消防員出生入死，救火救人的場面，我就想起當年的「不幸」，幾經艱辛，香港人才獲得一個廉潔社會。年輕一輩居然不懂珍惜，真叫人心痛。

——刊一九九六年二月六日《星島日報》副刊「七好文集」專欄。

證

❖ 廉政公署在一九七四年二月正式成立，以執法、預防及教育「三管齊下」的方式打擊貪污。廉署成立後第一個重要的任務，就是要把葛柏逮捕返港。一九七五年初，廉署成功將葛柏由英國引渡回港受審。結果，葛柏被控串謀貪污及受賄，罪名成立，判處入獄四年。葛柏案件充份反映廉署打擊貪污的決心，在香港掀起了一場靜默的革命。

——香港廉政公署網站〈歷史簡介〉

❖ 重看《七十二家房客》（按：一九七三年邵氏出品電影，楚原導演）……杜平、鄭少秋扮演消防隊長，出了一場，讀了四句對白，成為經典，就是「有水有水，無水無水，有水過水，無水散水」。當年這幾句對白講到街知巷聞，「水」字意思雙關，既指救火的水，也指金錢，意思就是「有錢就有水救火，無錢就沒有水救火；如果有錢就立即付錢，沒有錢的話，我們便只好『散水』（即各自離去）了。」反映了當年貪污的情況實在猖獗。

——向度〈重看邵氏電影〉（二〇〇三年一月三十一日），網上讀取：http://www.wangngai.org.hk/docs/c24.html

一九九六年

向暴火焚身的老師致敬

馮堯敬中學的師生、家長經歷一次災難變故，顯現了感情的凝聚光輝。在操場上，襟上黑紗、臉上的淚、哀痛之情。禮堂裡，師生家長的全神沉重投入。壁報上學生的真摯文字，……一切顯示著香港教育評價的重新估計，改寫了近年令人頹喪的香港教育歷史。

王秀媚、周志齊兩位老師，冒著暴火焚身之險，在最後關頭，力推學生上巨石，出生天，剎那間不作別的選擇，正表明在心裡、下意識中，老師只以學生為重。兩位老師也以自己的生命，向香港人證明：在教育崗位上，教師為了學生，已別無選擇。

兩位老師已逝，我在悲慟之餘，不禁想到，近年來，還有多少中小學教師，在教學崗位上盡力，也同樣：冒著暴火焚身之險，力推學生出生天。

社會上，近年流行一種誇大人權自由，濫用人權自由的風尚，幾乎凡正規規範都反對，流於對未能獨立思考、不懂有效自主的青少年過度縱容。部分社會人士和家長，有意無意間，與教育、教師對抗情緒高漲，往往不問根由，把責任推在教師身上，使好心的教育工作者動輒得咎。部分人士更利用文字、影像媒介，借反映現實為理由，片面醜化教師。但，以小我不好經驗或主觀印象，作不分皂白的全體投射，這種反教育行徑，就如一把毫無目的的山火，置師生於險境絕境。——事實證明，仍有無數教師，願意冒暴火焚身之險，奮力推學生上求生巨石，讓學生逃出生天。

兩位老師以身殉，燃燒了自己，不止讓馮堯敬中學的師生難忘，盼望香港人也能亮了心眼，重新考慮，不要亂放暴火，陷有心盡力的老師於焚身絕境，以告兩位教師在天之靈。

——刊一九九六年二月十五日《星島日報》副刊「七好文集」專欄。

❖ 證

一九九六年二月十日的中午，八仙嶺發生了香港至今最廣為人知的山火，香港中國婦女會馮堯敬紀念中學的四十九名學生及五名老師在八仙嶺行山期間，有人疑吸煙後遺下煙頭引發火警，火勢迅速沿山上方向蔓延，師生需攀過石壁逃生，二名老師在協助大部分學生攀過石壁後，因趕不及逃離而葬身火海，事件中亦造成三名學生喪生，十三人受傷，事後政府於八仙嶺建了一座春風亭，紀念二位捨己救人的老師。

——〈東網光影：一九八六年八仙嶺山火　五死三傷〉，見東網 on.cc：https://hk.on.cc/hk/bkn/cnt/news/20170219/bkn-20170219060052567-0219_00822_001.html

文字遊戲

玩文字遊戲，玩同音字、玩雙關語，歷來是文人顯示機智、幽默、雅趣的玩意。記得小時候，一家鞋店廣告：「喜有此履」，人人讚不絕口，而我也至今難忘。

近年，玩這種遊戲的熱情，卻已到氾濫程度。要舉例，可以說舉不勝舉。電影叫「盜火線」、歌名叫「未忘人」、「情未烏」，專欄名叫「情教署」、廣告叫「得一賞異」、「61無2」、「出奇不已」、「有球必應」、「匙匙入扣」，書名叫「不是甚麼哲目」……設計的人心思巧妙，叫受眾單憑耳聽，肯定「中計」，必須目睹，才恍然大悟。我初聽唱片「未亡人」廣告，就說誰會買這不祥的東西，誰料一看才知道是「未忘人」，我倒有足夠幽默感，接受了這出乎意外的挫折。

在欣賞設計者的機智之餘，想到今天的青年讀者中文程度，又不禁叫人幽默不起來。幽默，必須設計者與受者旗鼓相當，效果才可顯現。如果受者不知道原句是「豈有此理」（含貶義），就不能悟到「喜有此履」的奧妙（含稱許義）。假如受者語文水平低，那後果更不堪設想。例如受者根本不知道原詞叫「導火線」，他以後就會認定「盜火線」是原來寫法。目前，香港中學生的中文水平已經低得令人傷腦筋，通常不求甚解地接收文字訊息，他們沒有足夠能力分辨詞的正確用法和乖訛的機趣，會中計中到底。這樣，設計者除了創一「新詞」外，其實未必得到幽默效果。

我不是杞人憂天，在大學生的文章中，已看到不少誤用訛詞的例子，他們不是鬧著玩，而是一本正經地寫：「家庭煮婦」、「猩猩相識」。這種信以為真的水平，還有甚麼幽默可言？

——刊一九九六年四月二日《星島日報》副刊「七好文集」專欄。

❖ 參

電視節目：獎門人

電視桌球賽直播廣告：桌桌有娛

汽油廣告：一油未盡

報刊指大學生騙生活津貼：騙「財」騙「息」

舞蹈名：字戀狂

新聞標題：色途老馬

——文章剪報旁作者加注

獲寶

沒有忘記梁伯生前的話，垃圾堆都要掏一下，否則走寶。

每天回家，路經一個垃圾站，下午總堆滿附近人家扔出來的東西——不能稱為廢物，很好的家具、電器、木板、整箱磁磚……也常見人在揀選，用車運走。

那天黃昏，快下雨了，我正趕路回家。幾個大紙盒亂扔在行人路上，垃圾站已經放滿爛木櫃，紙盒只好放在行人路上，這是常見情況。紙盒？對紙盒我特別「敏感」，因為可以裝書。我順手打開其中一盒——嘩，不是做夢吧？我常常幻想：有一天，在垃圾堆中，發現名人書信、照片、絕版書刊，大概我真的相信「收買佬發達」的故事了。

嘩！都是書！果然都是書。第一本映入眼的竟然是我十多年努力尋找，卻有錢也買不到的：一九四〇年四月初版，當年流行小說，望雲寫的《黑俠》上下冊。再翻一翻，竟是薩空了寫的《香港淪陷日記》一九四六年香港初版本。我的心跳得不正常，雙手發抖，不敢再翻下去，望望四周沒人，立刻趕去打個電話回家，叫阿慧拿大膠袋和手推車來幫忙。

千萬不要下雨，千萬不要有識貨的人經過，下邊幾盒裡會是甚麼東西？我望著幾個紙盒的心情，現在想起來也好笑，相信跟發現寶藏的人差不多。

幾分鐘的時間真難過。幸而幾分鐘阿慧就來了，幫忙打開一個又一個紙盒，嘩！好髒，看來好幾十年沒人打開過——寶藏的意義就在此。嘩！嘩！我顧不得髒不髒，飛快把盒中的中文書、又不會爛得不成形的，都放在手推車上。

滿滿一車書，用力推回家去，進了門，天就下起大雨來了。

——刊一九九六年六月二十五日《星島日報》副刊「七好文集」專欄。

❖ 參

這是屬於一家人的讀書歷史！整一天，我為本屬於這家人的書，一本一本的清潔抹淨。撫摸著一些我極熟悉的書，撫摸著一些我完全陌生的書，我幾乎讀出了這家人的歷史面貌，這是一種奇異的經歷和感受。……從大陸到香港，這些書看完就藏在紙盒裡，好像沉睡了幾十年。到如今，主人把它們扔到垃圾站去，給一個無關的人不經意打開了，打開了一段塵緣，它們重見天日，毫不遺漏地重述過去的幾十年歷史。……悠悠，幾十年歷史過去，這家人姓麥。

——小思〈書緣〉，見一九九六年六月二十六日《星島日報》副刊「七好文集」專欄。

一九九六年

香港身世

一九九六年七月三十日，早上，面對電視機，我肅立，香港區旗冉冉在遙遠的地方升起，英國國歌奏出，我心緒凌亂。

李麗珊，為香港爭得第一面奧運金牌。

在這個年頭，在這個時刻，金牌的意義忽然變得奇異而重大。對李麗珊、對長洲人、對香港、對政治、對商業……一切要想得出的複雜想法都可能存在。

不遲不早，合時合候，突顯了一次強烈的香港身世，真是天意。

「香港運動員不是垃圾！」這句話含著無限悲酸。香港運動員真的不是「垃圾」，而是一向不受重視、自生自滅這一層意思上的「垃圾」。李麗珊的悲喜交集淚水閃出了這一層意思，閃出了：只有自己的努力掙扎以求成功的意義，這是香港身世的寫照。

有人強調：李麗珊是土生土長。有人強調這是香港回歸前最後一面金牌。有人強調這是唯一屬於香港名下的一面金牌。各種說法都隱藏著無數香港身世、處境的潛台詞，同時也使金牌變成一個不同角度的透視鏡——香港，是怎樣子的身世？歷史上、世界上，相信沒有一個地方的人，會遭逢這種刺激和考慮。

作為應有禮儀，我為英國國歌肅立過無數次，但那只是禮儀而已。今回，我為那樂聲肅立，心情卻十分奇異。我究竟為誰而肅立？天祐女皇？香港？算我心胸狹窄，我不能讓自己情緒為英國國歌而激動。

為李麗珊勝利、為香港勝利——一切交疊凌亂。我流淚但卻不知道為誰，為甚麼事而流。看著李麗珊流淚、記者流淚、友人流淚……聽著李麗珊說肺腑之言、勵志的話，旁述者重複無數遍不必多說的話，香港人激動歡呼。我默默流淚，竟然不知道為甚麼而流淚。

——刊一九九六年八月一日《星島日報》副刊「七好文集」專欄。

❖ 證

這一屆奧運會在一九九六年七月十九日正式揭幕，既是現代奧運會舉行一百周年，更是香港回歸前最後一次以「香港」和「Hong Kong」名義出席的奧運會，亦是滑浪風帆運動員李麗珊贏得香港史上首面奧運金牌的一屆。

——〈一九九六美國亞特蘭大奧運會揭幕〉，見東網 on.cc：https://hk.on.cc/hk/bkn/cnt/lifestyle/20180719/bkn-20180719080008006-0719_00982_001.html

問長城

《血肉長城》主題曲　王智敏作

所有的苦難　你自己承受　所有的屈辱　你自己伸張
所有的出路　你自己尋找　所有的光明　你自己點燃
長城啊長城　你這撕不爛的血肉　　長城啊長城　你這壓不斷的脊樑

一九九六年九月廿六日　張敏慧

對子民——狠
對寇仇——讓
自毀長城！

敬悼王恆杰教授、陳毓祥先生　小思

一九九六年七月一日，一生以獨臂病體、孤軍作戰研究南沙群島主權我屬的王恆杰教授久病逝世。南海守衛官兵致詞如下：

「親愛的獨臂教授，您用實際行動為南沙衛士作出了榜樣。為了祖國的海洋權益不受侵犯，為了不將南沙問題留給子孫下一代，我們將不負重托守好南沙，即使血染南海也三生無怨、九死不悔。」

一九九六年九月二十六日，「保釣號」上，手無寸鐵、只憑赤膽的壯士們，以血肉之軀，代國人向侵略者宣示：民不畏死。

陳毓祥先生在怒海中，竟以身殉。

長城啊長城，你有撕不爛的血肉，你有壓不斷的脊樑，但，我得悲憤問你：為甚麼你要承受一切苦難？為甚麼你要自己尋找出路？為甚麼要你去伸張屈辱？

為甚麼？長城，請以洪亮的聲音回答我！

長城啊長城，苦難是誰給你的？屈辱是誰給你的？你的母親在哪裡？你的血肉，你的脊樑，經得起多少風浪？

長城，請你以微弱的聲音回答我！

——刊一九九六年九月二十九日《星島日報》副刊「七好文集」專欄。

❖ 證

一九九六年九月二十二日由陳毓祥（「全球保釣華人聯盟」首領）帶領的香港抗議者，乘坐一艘二千八百噸的貨輪保釣號開始了他們為期三天的釣島之行。他們的任務是毀掉日本右翼分子前不久在釣魚島上豎起的燈塔，並在島上重新樹立中國的國旗，以確立中國的主權。……一九九六年九月二十六日保釣號到達釣魚島，香港保釣領袖陳毓祥率領五位突擊隊員穿上救生衣，躍身入海游向釣魚台，因腳部被繩索纏繞，陳溺水身亡。

——〈保釣義士陳毓祥溺水犧牲〉，見鳳凰資訊：http://news.ifeng.com/history/1/renwu/200809/0926_2665_807415.shtml

「家兄」與「舍弟」

中文用詞很講究，一不小心，就會鬧出笑話來。

從前有個不學無術的人，聽見哥哥向人介紹他時說：「這是舍弟。」第二天，他遇上向別人介紹哥哥的機會，就學樣地說：「這是舍兄。」哥哥聽見他不說「家兄」，就說他用錯了。他很不服氣地說：「你可以舍我，為甚麼我不可以舍你？」

現在常聽見傳媒中人稱別人死去的父親為「他的先父」，以為十分文雅，很尊重。其實，「先父」一詞，只能稱自己死去的父親，不能叫別人死去的爸爸為「先父」。

——刊一九九六年十月二十一日《明報》A4版，「中文一分鐘」專欄。

參

❖ 小思更關心傳播媒介對大眾潛移默化的影響，會將有問題的部分剪存下來，謄正後傳真到出錯的報刊去。「有時內文是沒法更正的了，主要糾正標題錯誤。除了錯別字外，也有錯用詞語和文法的。我不會寫文章去責備這些錯失，但是，希望他們收到傳真之後，能夠關注問題，減少出錯。」小思溫和地說。

——關麗珊〈關注傳媒影響大眾　小思謄正報紙錯別字〉，見一九九六年五月二十五日《星島日報》D3。

證

❖ 當今一例：「你家父」，見二〇一八年出版某書。

記者只能做新聞的部分，絕對不能做假新聞！例如：己承擔責任。我們對此倒是較嚴謹。

梁：徐復觀跟你們的關係，是否跟你家父的關係很密切。

岑：徐復觀時常來我們報社，好像跟報社某人有關係。最我忘了他與李卓敏的恩怨關係，因為他倆的事跟報社另一幫人主理的，所以說不定得罪了很多人。

一九九六年

去了一趟石門灣

我躲起來，超越時空，躲進一個熟悉而陌生的溫馨園地裡。輕輕的翻開《豐子愷鄉土漫畫》，慢慢地品味著那純真筆觸、十分鄉土的文字。

豐子愷的家鄉，為紀念豐先生誕生一百周年，一群熱愛他的人，集合起來，做了一件事——選一百幅豐先生早年創作，以家鄉風土人情為題材的漫畫，由豐先生的親人、鄉里、讀者，為每幅漫畫配寫一段說明文字，由李力主編，在石門灣出版了。

一百幅畫，都很熟悉，讀過不知道多少遍，但今回再讀，卻多了親切而溫馨的感覺。為了那些文字，為了那些文字背後的生活記憶。

大部分文章，短短的百來二百字，都是親人鄉里手筆。寫親人——圖畫中人物，寫風俗——圖畫中地緣，寫時勢——圖畫中的歷史紀錄，都自有一番親切滋味。文字不是出自甚麼名家，正因如此，就顯得真切純樸。不矯飾的文字，老老實實，有時偶然憶苦，也不過「閒話家常」的想當年，不重不輕，石門灣人，幾十年前生活，歷歷在目了。

豐先生筆底的鄉里親人，文字也為我們一一做了補述。於是：三娘娘、五娘娘、李大媽……忽然有了突顯個性。許多無名的農工百姓，也配上豐富背景。當然，更少不了豐家兄弟姊妹童年的小小故事。

石門的鄉土風俗，外邊人如何寫得來？只有石門人，才能告訴我們：南畝離家較遠，老母與孩子，得天天送飯送茶水到田頭。插在出賣小孩頭上的小柴枝，是個賣小孩的記號，叫做「柴咯咯」。在大運河畔，縴夫倒行拉縴的原因。

超越時空，我到了江南——石門灣。

——刊一九九六年十一月十三日《星島日報》副刊「七好文集」專欄。

一九九六年十二月十一日紀事

上午，電視現場直播特區行政首長選舉。

籌委會副主任兼祕書長魯平仔細講出投票辦法：怎樣打開紅色大票封、拿出黃色印有三位候選人名字的選票、怎樣在名字前方格內打勾、又特別提示：不是打叉、怎樣放回封套內、怎樣把繩子扣好。講得又慢又清楚。點票時，出現兩張廢票，鏡頭顯示其中一張，在方格內又是勾又是叉。這張票的主人，不是低能，就是心不在焉，再不就是以廢票表態。

*

四百個推委，逐個排隊走到票箱前，面對傳媒鏡頭。四百個不同的身體語言，眉目臉容，「全情」投入。誰在票箱前停留多兩三秒鐘、誰眼不望鏡頭、誰雙手必恭必敬放入選票、誰若無其事……這是一次極難能可貴的表情檢閱。

*

上午十一時四十五分，在「中環廣場」通到「新世界酒店」的天橋上，正是對正港灣道的好位置。站滿了人，各類記者配備長鏡頭，還有一堆堆市民，以阿伯為多，組成一個小論壇。一個阿伯，拿著小型收音機貼在耳邊。忽然大聲報道：「董建華一百六十票嘞，吳光正十六票、楊鐵樑十四票咋！」好像講賽馬，很認真不斷報下去，旁人也很樂意有他的現場直播。

*

港灣道上，仍有人站在消防局前的示威區內。沒有甚麼行動，擴音器傳出不斷人聲，但站在天橋上，大概離得遠，聽不清在說的話，只聽得身旁阿伯說：「冇得爭啦！董建華已經夠二百票啦！」

*

《大公報》、《東方日報》出號外，一元一份，我買了一份。「董建華當選特區首長，得三二零票大勝。」

——刊一九九六年十二月十四日《星島日報》副刊「七好文集」專欄。

一九九六年

告別星晚

告別星晚！

我首先想起李凌瀚的《阿牛正傳》。

從小就愛看漫畫，還沒進小學，看的是母親買給我的《三毛從軍記》、《三毛流浪記》。三毛，這小孩子真慘，但他的遭遇，對香港小孩子來說，很遙遠，也陌生。記住了他的飢寒交迫，記住他受有錢人的虐打，記住他站在路邊看食店櫥窗裡的美食等等，只記住他：慘。

《星島晚報》副刊的《阿牛正傳》，阿牛也是個小孩子，生活在香港。李凌瀚畫得極細意，到今天，我仍記得阿牛的樣子。漫畫每天在星晚出現。阿牛真慘，他窮，但他想辦法活下去。我最記得的是，他不知怎樣借得五塊錢（還是十塊錢），去買了一疊報紙，便沿街叫賣，果然賺來生活費。為甚麼會記住這個情節？因為，忽然很安心：只要有十塊錢，就可以賣報紙謀生，餓不死。我是每天追著看阿牛，直至他長大。

以後，在星晚看徐訏、南宮搏、李輝英、劉以鬯、上官牧、司空明（周鼎）、任畢明、上官大夫……是每天下課後，晚飯前的「功課」。中學時代，我同時看《新生晚報》、《新晚報》，這三份報紙，成為我主要閱讀養分。

停刊原因是「讀者不再看晚報」。的確，我這個老讀者，也很久沒看星晚了。撫心自問，是沒有支持它。近年常聽傳聞它要停刊，但仍相信星系報業會讓它存在下去。說許多理由，解釋自己沒看它，已經再沒有意義了。在此，我謹向這份給我無限養分的報紙致意：你的工作，已為報刊歷史寫下不可磨滅的一頁，你的離去，非戰之罪。在過去的日子裡，你為讀者提供了豐富資源，功勞沒法計算。香港報業史不會忘記你，老讀者不會忘記你！

——刊一九九六年十二月二十一日《星島日報》副刊「七好文集」專欄。

❖ 證

一九九四年，香港樓價從高峰回落，經濟步入調整期。一九九五年，《蘋果日報》創刊，香港報業爆發空前激烈的減價戰，而報紙的成本則不斷上升，報業經營日趨困難，……一九九六年底，受報業減價戰的影響，創辦五十八年的《星島晚報》被迫停刊。

——馮邦彥：《香港企業併購經典（增訂版）》，香港：三聯書店（香港）有限公司，二〇一八年，頁三四五。

一九九七年

誠品品味

愛書人到台北，鮮有不去「誠品」。

說像朝聖一般心情，未免太嚴肅，但那裡有一個讀書人夢想成真的天地，在香港渴得太慘。誠品，進入了，是心靈的釋放，應該是另一種朝聖。

說誠品，應該說到品味問題，是優質文化素養問題，是生意與文化結合問題。

「光復一個有星光的早晨，收藏一片有水滴的樹葉，流連一個初相逢的書店……」這是誠品光復南路店推廣「一日之計在於晨」買書優惠的廣告單張語句，印在銀灰色的方形厚紙上。「冬日溫書」是南京路店的宣傳口號，從星期一到星期天，都讓某些共同點的書友——例如「在南京東路三段工作的朋友」、「雲門舞集的會員朋友」……得到九折優待。拿上手、讀起來，就舒服。南京店開到晚上十二點，在那裡，人人靜靜地看書，未必一定買，但付款處仍要排著長龍，證明文化生意結合得很好。

台北市中心地價，不會比香港市區的便宜，香港生意人的資本，不見得比不上台灣，就只是欠了為高質文化事業做點事的遠見生意人。常聽見小本經營的書店老闆，唉聲嘆氣說「捱貴租、虧得慘」。但又常見書店擠滿人，背靠背地站著看書，證明讀書人口其實不少。誰肯放膽投資，建立一個高品味氣氛的書店，自然有氣味相投的客人來，甚至說得功利一點，可以形成一種「習慣」、「品味象徵」：讀書人或有優雅品味的人去某某書店。

台北有誠品、北京有風入松、三味書屋，我希望香港也有一間可以相比的書店，而不是商場式的書城，我們要的是優雅溫暖，不要商場式的熱鬧。

「誠品」，這個讀書人的夢，會在香港成真嗎？

——刊一九九七年一月二十一日《星島日報》副刊「七好文集」專欄。

❖ **參**

說台北書店，單提誠品，只因品味數它最佳，其實還有其他書店，值得流連。從前，一條重慶南路一段，已經可以逛好幾天，但最近，似乎重慶南路書店有點垂暮感覺。……說台北誠品，我覺得不提北京風入松書店和三味書屋，也不公平。寬大店面，風入松真叫人眼前一亮。北大教師出的點子，書刊自然可觀，可是因經濟問題，書架就較粗劣。在收款台側留著空間，作茶座和講論座談之用。我去的時候，大概因開業不久，仍沒有顯出獨有風格。三味書屋就成熟多了，黑木書架，牆上掛作家手跡，書架外圍，還有玻璃平櫃，店中央擺大木桌摺椅供人坐閱書報，老式溫馨充滿全店。樓上茶室，加上每周六晚的現場音樂，自有風華。

——小思〈書店行腳〉，見一九九七年一月二十二日《星島日報》副刊「七好文集」專欄。

❖ **證**

一九八九在台北仁愛圓環，第一家誠品書店成立，以專業人文藝術書店涵括誠品畫廊、藝文空間的經營模式，實踐人文、藝術、創意、生活的核心理念。一九九五誠品敦南店搬遷至現址，以寬敞的空間場域，呈現多元的文創產業內容。

——誠品網「發展歷程」，見：http://www.eslitecorp.com

一九九七年

為甚麼要養雞

電子寵物——雞，在日本商人的高姿態推銷下，紅起來。台灣、香港年輕人，沒頭沒腦的跟風，也瘋狂起來。

為甚麼日本人要養雞？不養鴨，不養豬，不養龜？

為甚麼這隻雞「大晒」？主人要完全服從牠，千依百順服侍牠，生養死葬，十足孝子模樣？

日本人為甚麼要養雞？這種電子玩具，除了為商人賺錢外，還有甚麼功能？

話先從四年前，我去日本高山市旅行說起。遠離大都市，小鎮街道很好逛。一天，我在小街上看見一家寵物店，賣小白兔、小狗、小貓外，竟然賣小雞大雞。我們在香港四五十年代，也讓小孩子在露台養小雞，不過養大了，往往是母親一聲不響，過時過節就拿進廚房宰了拜神。晚飯桌上，小孩子涕淚交流，箸不下箸。那絕不是好的經驗，更談不上愛的教育。日本人怎會把雞，當成寵物來養？真好奇！追問之下，答案很合情理。

日本人菜市場、超級市場，都沒有活雞出售。他們習慣把雞宰了，分成不同部分，排好放在冷藏櫃中賣。餘下的雞骨架子，二三十年前，是當成垃圾扔掉。香港留日學生如獲至寶，問老闆要了回宿舍煲湯。七十年代初，我到日本，老闆已懂生意好做，每個雞架子要賣五十日元，還是比任何東西便宜，我就靠煲帶許多肉的雞骨架子湯，維持了健康。話拖得太遠，回頭說日本不賣活雞，於是都市小孩子沒機會見過活雞。雞比小狗小貓小兔，多了一些「功用」：生蛋——日本人吃很多雞蛋，還有自然時鐘很準，很有規律司晨，儘管現代人不必靠雞啼報曉，但這種守規律精神，是日本人重視的。因此，把雞當成寵物來養，對小孩教育很有意義。

日本人重視教育，並不只表現在正規的教育制度中。千萬別看輕日本的漫畫與電視劇集，民族文化教育的滲透，可以說無處不在。

香港人迷日本漫畫和電視劇集，只限於「迷」，其實對它們的內涵，對大和民族有甚麼意義，並不了解。例如漫畫一般都隱含了：為目標奮鬥、苦練爭取勝利……這些民族教育目的。可能有人反駁說，還有許多色情成分，那又算甚麼教育？色情，對大和民族來說，不是罪大惡極，而是社會法例下容許的。眾多嚴肅文學作品，要找出色情描繪場面，毫不困難，也從未見教育界批評或禁止。

《蠟筆小新》，其實反映了日本家庭、男女、父子兒女關係轉型下的種種問題，不是日本人，得到的訊息不一樣。香港年輕人多只知道「公仔得意」，不明白人家內含教育與反省作用。

今回，流行電子雞。且看為了養牠，機主要多費精神與心思，無時無刻要記掛著飼養、打點、跟牠玩、帶牠看醫生……現代年輕人最缺乏的責任感、耐心、愛心，全給這沒生命的雞仔牽引出來了。最大動力，乃在中意。為了自己鍾意，人可以發揮無可估量的力量。教育，有甚麼比啓動人的積極性更有效？

面對新新人類，一切以玩樂為人生目標的一代，要灌輸甚麼責任感愛心，教條早已不管用。他們愛玩，就給他們玩吧！叫他們自己中意，讓他們玩到入心入肺，影響力就大了。日本人最懂「寓教育於娛樂」，最擅寓教育於生活的不知不覺間。

東方太陽升起，晨雞報曉。大和民族下一代，認真盡責養雞。

生意人頭腦不那麼簡單！

——分上、下兩篇刊一九九七年四月二十五及二十六日《星島日報》副刊「七好文集」專欄。

證

❖ 第二位：他媽哥池。一九九六年成為熱潮的他媽哥池，相信那個年代的年輕人（無論日本定香港）都玩過，玩這種「育成遊戲」，看到自己的小雞不斷成長，又實在是一件很開心的事，難怪當年他媽哥池一推出，很快便成為火熱產品，特別是兒童，更人人嚷著要買一部，以致日本全國各地都缺貨，商店外大排長龍的情況，實在是蔚為奇觀！

——〈告別平成：平成十大好嘢！iPhone 只排第三〉，見東網 on.cc：https://hk.on.cc/hk/bkn/cnt/lifestyle/20190425/bkn20190425213046337-0425_00982_001.html

南海十三郎

一九九七年

誰說到他，誰也沒有提及他那種叫喊聲。「噢〰〰△△△〰〰〇〇〰〰……」我也沒辦法用文字記錄下來，除了頭一個噢音，其他一串音，高亢卻含糊不清。含糊的只是我們不懂他說甚麼，他倒一點不含糊，永遠不變樣的叫喊，節奏長短，每叫一次，都一個樣。

下午或黃昏，通常是他起來活動的時候。長街上，他腋下挾著一大疊舊報紙，施施然，從這邊走到那邊，不徐不疾，「噢〰〰△△〰〰〇〇〰〰……」

軒尼詩道上的老街坊，五十年代住在柯布連道與菲林明道之間的軒尼詩道上的老街坊，一定記得下午或黃昏，他那高亢的叫聲。那是一個很沉寂的大街時代，店鋪沉沉靜靜開著門，做的是來來去去都熟悉的街坊生意。而軒尼詩道一六八號至一七〇號的地下，沒開店，是住宅，除卻大門，就是密封的牆壁，他就睡在那堵牆腳邊。高昂定調的叫喊，無論炎夏或寒冬，都為大街平添蒼涼。

他不是頭髮蓬鬆，頭髮脫得只剩後腦殼部分散碎垂條，這樣顯得一個非常突顯的前額，在偶帶污痕的瘦臉上，前額就顯然高得誇張，誇張得到今天，我仍記起，如同記起他的叫喊聲一樣清晰。

小孩子雖然聽過大人說他是個才子，是個太史公的兒子，但沒記掛在心上，反正，才子太史公都是陌生詞語。在街上，碰到他慢慢迎面走過來，也不害怕。高白的前額，昂然地打從我身邊經過。

記憶中，街坊對他很寬容，從不會叫他癲佬。路過梁秋祺生果店，會看見他正在吃橙，太平館門前，他在吃西餅。

「噢～～～△△△～～～○○～～～……」誰能理解那串聲音背含的故事？老街坊早老去了，小孩子也老了，只是在聲光影像中，看到他的傳奇，才記起那叫喊聲。

——刊一九九七年五月二十八日《星島日報》副刊「七好文集」專欄。

一九九七年

生日

母親賜給我生命，說生命是貴重的。每年，無論生活多艱難，都為我慶生辰。一塊雞肉、一隻雞蛋，是一飲一食的祝福。一群小友到家裡來，吃花生米、紅豆湯，是人緣的聚結。從小，母親簡單鄭重為我做生日，提醒我，到世上來如何走路。

幾十年過去，母親墓木已拱，生命仍流在我生命裡，我不敢怠慢。有時候，我想到自己也垂垂老去，而沒有把母親的生命延傳到下一代，不禁惴惴不安。

小學二年級那一年生日，母親用毛筆在一張桃紅紙上寫了一句話給我：吟到梅花句亦香。我並不明白她的意思。

唸中文系，才知道疏影橫斜，暗香浮動，才知道有林和靖草亭招放鶴，明月種梅花。但如何吟到梅花句亦香？依舊不懂。

吟，自是指文字書寫。句，自是指文字成形。梅花，是書寫對象。香，是一種特質，是一種象徵。慢慢，我試圖解釋讀成，那句話是母親對我的企盼。

吟到梅花句亦香，雖然是良好盼望，但仍有阻障：能力到不了，沒辦法。何況，這句子還可讀到深層諷刺——句亦香，文字誇張虛擬，畢竟到底不是真的梅香。

我有點對文字書寫生了疑心！

八年前開始，我不再為自己做生日。

母親賜給我生命，說生命是貴重的。可是，我看見許多生命沒有受珍重，母親賜予的年輕生命，在硝煙中紛飛消散。相對那些生命來說，我的生命算甚麼一回事？我如何吟詠，才可以句亦香？

母親，請原諒我！

在燭光如海中，我許諾我仍不怠慢，珍惜生命，也深盼很快，我會繼續做生日。

——刊一九九七年六月七日《星島日報》副刊「七好文集」專欄。

一九九七年

記那一夜風雨

一向，六、七、八月，香港就進入風雨季節。但又不是颶風來臨，卻不時「黑色」「紅色」暴雨警告生效。忽來的狂風暴雨行雷閃電，——真的，忽來！事前毫無跡象，一剎那，癲狂的風，猛力扯開鋁窗，把窗簾厚布全吸到窗外，整幢房子前後南北方的窗口，全給扯開，我奔走全屋去關窗子，忽然陷入大自然不可預料的暴怒中，這是我做了幾十年人從未有過的奇怪經驗。

真的，又不是刮颶風，忽然而來，忽然而去，不過幾分鐘，天空就由紊亂暴躁，回復平靜、平靜得像從沒發生過剛才的事，只是柔柔地下著小雨，這是我人生歷程裡，未經歷過的。拿著一大塊毛巾，我應該先抹自己全濕的頭臉手身，還是先抹濕了的窗台、地板？竟然拿不定主意。抬頭看窗外，雨點把別人燈火化得朧朦，攪和得視覺有點蹊蹺。這時候，我才發現自己心率不整，剛才從床上跳起來，跳得大急劇，跟著一連串快速動作，再加天公的暴吼——我一向怕行雷閃電，今回才知道也怕風雨——一九七二年港九山泥崩瀉，時間太久，我忘記了，最近幾年的塌山壓人事件，雖生感慨，但感慨完了又忘記了。記憶真不可靠，自我判斷真不可靠。我的心跳動得太快，快得沒規律，沒規律得有一秒鐘像沒有跳，我按著胸口，感覺著那種非常貼身的悸動——那悸動又熟悉又陌生。

我依然按著胸口，不知道過了多少時間，原來，我沒有抹全濕的頭臉手身，沒有抹窗台地板，只直直的躺在床上。

有沒有入睡？那一夜。我忘記了。

延了好幾天，心還不整地跳動，有時喘不過氣來，終於還是去看醫生。醫生把了脈，開藥方時喃喃說：「唉！心氣鬱結呀！」

——刊一九九七年七月十五日《星島日報》副刊「七好文集」專欄。

❖ 證

一九七二年六月十九日《工商日報》頁一：〈雨災死傷二百多人　半山旭龢大廈被掩埋　初步報告死傷十餘人　觀塘山坭壓毀數十木屋〉，內文報道：「在一連數日雷電交作，風狂暴雨襲擊下，本港昨日受災程度，昨日創下近年新紀錄，由於山洪暴發，山坭崩瀉而引致塌屋事件，整日頻傳，初步統計，死亡及失蹤者近百人，而傷者亦在逾百之數。災情慘重，較諸一九六六年有過之而無不及。」

工商日報

雨災死傷二百多人
半山旭龢大廈被掩埋
初步報告死傷十餘人
觀塘山坭壓毀數十木屋

觀塘場山坭大慘劇
七十餘木屋被掩埋
死傷逾百人估計活埋百餘人

山坭推倒四部貨車
兩輛焚燒三死一傷

盧瑋鑾文編年選輯

一夜風雨

一九八一——一九九七

作者　盧瑋鑾
編者　許迪鏘
責任編輯　周怡玲
書籍設計　李嘉敏
協力　陳先英

出版　三聯書店（香港）有限公司
香港北角英皇道四九九號北角工業大廈二十樓
Joint Publishing (H.K.) Co., Ltd.
20/F., North Point Industrial Building,
499 King's Road, North Point, Hong Kong

香港發行　香港聯合書刊物流有限公司
香港新界大埔汀麗路三十六號三字樓

印刷　美雅印刷製本有限公司
香港九龍觀塘榮業街六號四樓A室

版次　二〇一九年七月香港第一版第一次印刷

規格　三十二開（140mm × 210mm）三七六面

國際書號　ISBN 978-962-04-4487-6

三聯書店
http://jointpublishing.com

JPBooks.Plus
http://jpbooks.plus